人生のレシピ

人生のレシピ
哲学の扉の向こう

神崎 繁
Shigeru Kanzaki

岩波書店

目次

装画＝鹿又きょうこ

人生のレシピ

ソクラテスは太っていたか？

大学紛争前、まだ大学に権威というものがあり、それを代表するかのように東京大学の卒業式の模様が新聞で報道されることがあった。今でもはっきり憶えているのは、「太った豚よりも、痩せたソクラテスであれ」という当時の総長の式辞のなかの一節である。だが、それはエリートへの心構えに感心してというより、「え、ソクラテスって、太ってなかった？」と中学生なりに疑問だったからだ。

実は、哲学の専門家となった今も、この疑問に答えるのは意外に難しい。というのも、両方の証言があるからである。たとえば、喜劇作家のアリストファネスは、『雲』という作品で、ソクラテスを題名どおり雲を崇《あが》めて天体観測をする、青白い痩せ細った体つきの似非《えせ》学者として描いている。これは紀元前五世紀頃の壺絵などで戯画化されている、当時活動の目立ち始めた「知識人（ソフィスト）」に共通の特徴で、貧弱な肉体は、精神の浮薄さを象徴するものだった。

これに対してプラトンは、わざとその逆を狙って、外見は醜く好色そうでありながら、実はその内面は志操堅固で知力に富んでいるという対比をことさら強調しようとしたのである。ちょうど酒神・バッカスの従者、サテュロスのように、両目が飛び出、横広の鼻は上を向き、頭の禿げ上がった、お世辞にも美しいと言えない頭部を乗せるのに相応しいのは、やはりでっぷりと腹の突き出た身体だということになった。それは外面的な美ではない、内面の目に見えない美徳の重要さを、市民に伝える暗黙のメッセージであった。

面白いことに、刑死した直後に作られたソクラテス像は、当時の美の基準にまるで反抗するかのように太った魁偉な姿をしているが、後にソクラテスの死を悼んで市民が建てたと伝えられる像は、伝統的な均整のとれた理想的な人間像に近づけて、よりスリムに作られている。ソクラテスの場合、太ったり痩せたりする原因は、本人の節制や不摂生ではなく、その評価だったことになる。

でも、本当のところどうだったのか。冬の凍《い》てついた戦場で裸足で歩いた、また戦友を救ったという逸話や、質素な食事に満足し、「食事のおいしさは、料理法よりも健康による」とか、「その健康を保つのは身体の鍛錬であって化粧術ではない」とかいった日頃の言動からすれば、頑健ではあっても、むやみに太っていたとは考えにくい。

ダイエットという言葉は、ギリシャ語の「ディアイタ」が語源で「食養生」と訳されるが、もともと「日々の暮らし」「生き方」を意味する。ソクラテス流に言えば、身体のダイエットも大事だが、満たされない心が肥満の原因である場合も多く、過度に身体を気にする以前に、心のダイエットにも気を配る必要があるということだろう。

ピタゴラスは豆嫌いのベジタリアン？

「ピタゴラスの定理」で知られる古代ギリシャの哲学者・ピタゴラスは、どうやら実際にはこの定理の発見者ではないらしい。けれども、天体の運動がまるで和音のハーモニーのように聞こえたというから、たしかに数の比例への神秘的直感をもっていたのだろう。彼のもとに、魂の不死を信じる結社のようなものがつくられ、これに加わるには五年間の沈黙の行が課されたという。

それと並べると奇妙だが、「そら豆を避けよ」という戒律もあった。死後も魂は不滅で、他の肉体に宿って生き続けるという「輪廻転生《りんねてんしょう》」の考えを信じるピタゴラス派の人々が、仏教などにも見られる殺生や肉食の禁止を戒律としてもっていたのはうなずける。だが、そうしたベジタリアンの走りとも言うべき彼らが、どうしてそら豆も忌避したのか、以前から不思議だった。

そもそもピタゴラス自身、どこまで厳格なベジタリアンだったのか？ 伝説では「ピタゴラスの定理」を発見した際、神への感謝に牛百頭が犠牲に捧げられたという。当時の肉食文化において、犠牲に供されたものを神と分かち合うのは自然なことだった。だが、後のより厳格なベジタリアンの哲学者には、この伝承は不都合だったらしく、犠牲に捧げられたのは本物の牛ではなく、「パスタでできた牛」だという苦しい解釈もなされた。

いずれにしても、こうした潔癖主義はエスカレートしがちである。当初、犠牲の獣は「輪廻転生」しないという名目で、心臓など特定の部位を除いて食事に供されていたのが、次第に肉食全体の禁止に変わる。忌み日に限られていたのが日常化する。挙句は、犠牲の牛の餌という連想から、そら豆は植物のなかでも特に忌避の対象となったということらしい。そういえば、今でも豆は「畑の肉」と呼ばれる。

実は、ピタゴラスはそら豆好きだったという伝承がある。この伝承が正しければ、ピタゴラスはそら豆を忌避したのではなく、好きなのに断ったということになる。なぜだろう。「断ち物」という考えは、今では流行らないかもしれないが、先年、惜しくも亡くなった古今亭志ん朝さんは、落語の上達を願って「うなぎ」を断っていたという。昔は願掛けに自分の好きなものを断つことが、ごく普通に行われていたように思う。

つまり、ピタゴラスにとってそら豆は、好物ゆえの「断ち物」だったのではないか。課された禁忌ではなく、自ら好きなものを断つことで、たいていは思いどおりにならない人生に、せめて一つくらい主導権をとれるものが確保できる——ピタゴラスがそう考えたかどうか、まして その際どんな願掛けをしたか知る由もないが、そら豆好きの身としては、せめてそう思いたい。

昔「隠棲」今「引きこもり」

「隠者」や「隠棲」といった言葉は、現代ではもう死語かもしれない。古代中国の賢者は、世俗の塵芥《ちりあくた》を避けて竹林に隠れ住んだという。インターネットが発達し、冬山の遭難者も携帯電話でSOSを発信する時代に、竹林どころか、地球上どこにも「隠者」の隠れる場所などもはやなさそうである。

けれど、「大隠は市に隠る」とも言われる。本格的な隠者は、むしろ人混みのうちに紛れているというのが真実なら、あるいは公園や路上を住処《すみか》とする人たちのあいだに、それらしき風貌・面構えを見出すことができるかもしれない。

以前見た映画『ニュー・シネマ・パラダイス』で、「ラ・ピアッツァ・エ・ミーア（私の広場だ）」を連呼しながら、広場の夜の管理人であるかのように通行人を追い出す路上生活者のことが妙に印象に残っている。「あー、樽のなかのディオゲネスだ」と思った。古代ギリシャの哲学者の逸話集に、アレクサンドロス大王がコリントスに赴いたとき、空き樽（実際は大甕《おおがめ》）を住処とするなど反俗・禁欲の哲学者の噂を聞きつけ、彼のもとを訪れて、「何でも望みを叶えてやる」と言うと、「日陰になるのでどいてくれ」と答えたという話のある、あのキュニコス派の哲学者・ディオゲネスである。

「キュニコス」とは、「犬のような」という意味のギリシャ語で、常に犬を連れていたからとか、犬のように羞恥心がなかったからとか（ゴメンね「花ちゃん」――わが家の犬）、諸説があるが、ともかく世界（コスモス）全体を住処とするという意味で「コスモポリーテース」と名乗った。これが「コスモポリタン（世界市民）」の語源である。

無一物であるからこそ逆に世界全体を自分のものとしたディオゲネスは、世界の征服に明け暮れていたアレクサンドロス大王にとってむしろうらやましく見えたのか、「もし自分がアレクサンドロスでなかったら、ディオゲネスになりたい」と言ったと伝えられている。

ローマ皇帝で、ストア派の哲学者でもあったマルクス・アウレリウスも、『自省録』のなかで、「人が田舎や海岸に引きこもる場所を求める〔……〕のは凡俗な考え方だ。というのも、いつでも好きなときに自分自身の内に引きこもることができるのであり、実際いかなる所といえども自分自身の魂のなかにまさる平和で閑暇《かんか》な隠れ家を見出すことはできない」と述べている。

けれど、「自分自身の魂のなか」さえ不安と焦りが渦巻く現代、「引きこもり」にとっても安住の場は見出しがたいのかもしれない。真夜中、携帯で話しながら通り過ぎてゆく声を見送りながら、彼もしくは彼女は孤独なのか、孤独でないのか、判らなくなる。

人間は考える足？

四月に職場を変わり、小田急線の向ヶ丘遊園駅から生田《いくた》緑地へと至る坂道を学生たちに交じって、歩いて登っている。最初は桜の花に誘われて、そして次には新緑の美しさに、文字どおり引き上げられるようにして、五十半ばの脚力の衰えを感じつつ、それでも若い学生たちを追い抜くのが次第に快感になってきた。雨が降ると、さすがに教員バスに頼ることになったのは情けないが、晴れた日に片道二十分の山登りをしたあと、しばらく研究室で漫然と窓の外の景色を眺めながら、ささやかな達成感を味わっている。

そんなとき、決まって「山路を登りながら、こう考えた」という漱石の『草枕』の冒頭が、自然と口を衝いて出てくる。そして、歩くことと考えることとのつながりについて思いを巡らしながら、パスカルの「考える葦」という言葉をもじって、「人間は考える足」などとダジャレをつぶやいているうちに、これはけっこう人間の本質を突いているのではないかと思えてくるようになった。

万学の祖と言われるアリストテレスには、散歩をしながら弟子たちと哲学的議論をしたという言い伝えがある。「散歩する」をギリシャ語では「ペリパテイン」と言うことから、アリストテレス学派のことをペリパトス学派とも言うが、以前には「逍遥学派」ともったいぶった呼び方をすることもあった。要するに「散歩学派」のことである。実際には「ペリパトス」とは体育競技場の「遊歩場」のことで、そこをアリストテレスが教場としたことから、そう呼ばれたというのが真相のようである。

だが、彼の哲学と歩行との関係にはもっと深い結びつきがある。というのも、「理性的動物」とか「言葉をもつ動物」とか、さらには「知性人（ホモ・サピエンス）」、「工作人（ホモ・ファベル）」、「遊戯人（ホモ・ルーデンス）」など、人間を他の動物から区別する表現はその後さまざまに試みられたが、アリストテレスの人間の定義は一貫して「二足の動物」である。彼が、単なる思いつきでこの定義を選んだとは考えられない。実際、進化論によって近代生物学の基礎を築いたダーウィンも、アリストテレスの動物観察力を高く評価していたという。

アリストテレスは、道具の作製・使用が知性の証だと考え、そのための手の働きに特に注目した。現代の進化論なら、さしずめ直立二足歩行が脳の増大を促し、人間の知性の発達を準備したと説明するところだが、アリストテレスはむしろ人間は知性を持つから、手を使うのだと考えた。そして、手が自由に使えるためには、直立歩行しなければならない。やっぱり、考えるためには、歩かなくてはならないんだ——そう、山路を登りながら考えた。

星になった神々

夜空をぼんやり眺めるということをしなくなって、どれくらいたつだろう。都会の夜空の明るさで星が見えにくくなったのも一因だろうが、昔は物干し台というようなものがあって、親に叱られたり、何となく独りぼっちになりたい時の格好の避難場所だった。そして、七夕のころなら、幼い時に教えられた織姫と彦星の悲恋物語を思い出して、それとなく探したりしたものである。

中国の神話に基づく織姫・織女星《しょくじょせい》がこと座の一等星ベガ、彦星・牽牛星《けんぎゅうせい》がわし座の一等星アルタイルで、こと座の「琴」はギリシャの竪琴・リュラに由来し、琴の名手オルフェウスが、亡き妻エウリュディケーを探し求めて冥府に下る、ギリシャ神話のやはり悲恋物語に基づいているということは、後で知った。

冥府と言えば、二〇〇六年八月、惑星の地位を剝奪され、「準惑星」に格下げされた冥王星は英語でプルートーと言い、ギリシャ神話の冥府の神・ハデスがローマ神話に採り入れられた際の名に由来する。水星（マーキュリー）は伝令の神・ヘルメス、金星（ヴィーナス）は愛の神・アフロディーテー、火星（マーズ）は戦の神・アレース、木星（ジュピター）は神々の王・ゼウス、土星（サターン）はゼウスの父でクロノス、天王星は天を意味するギリシャ語から直接その名をとってウーラノス、そして、海王星（ネプチューン）は海の神・ポセイドーンと、惑星の名はみなギリシャ神話に起源をもっている（カッコ内はローマ神話に由来する英語名）。

つまり、オリュンポスの神々は、神話の世界から天空の世界へと住処を移して、科学の時代にも生き続けているのである。

「惑星」は見かけの運動が不規則であることからそう呼ばれるが、決まった場所に現われ、規則的運動をする恒星は、複数の星からなる星座をかたちづくり、そのため新たな神話を生むことにもなった。その一つに、アルカディアの美少女・カリストーがゼウスに見そめられたため、それに嫉妬したゼウスの妻ヘーラーによって熊に変身させられた物語がある。そして、カリストーとゼウスの間に生まれた息子・アルカスが、後に狩人となって母親とは知らずその熊に矢を放とうとしたとき、自責の念からかゼウスが、母子ともに星に変えたのが「大熊座」と「小熊座」だというのである。

こうした神話を少しでも知れば、また違った星の眺め方ができるだろう。もっとも、別の神話によれば、初夏の南の夜空に見えるはずの乙女座は、戦いや争いに嫌気のさした正義の女神・ディケー（アストライアー）が天上に避難した姿だそうである。とすれば、地上から星座が見えにくくなったのは、都会の夜空の明るさのせいだけではないのかもしれない。

海は「葡萄酒色」

日曜の新聞をながめていると、「イタリア・ギリシャ一〇日間の旅、エーゲ海クルーズを含む」といった広告が目に入る。わたし自身、ギリシャ旅行をしたのは、もう二〇年近く前で、その後のオリンピック開催でアテネは変わったかもしれないが、当時、車の騒音と排気ガスの充満した市中の喧騒を逃れ、真っ青な海に白い家といったありきたりのエーゲ海のイメージに誘われて、アポロン生誕の聖地・デロス島など島々を巡る旅にでかけた。そこで、以前からどうしてホメロスが海を「葡萄酒色」と形容するのか訝《いぶか》しかった、その謎が思わぬ形で解けることとなった。

今でも変わらないと思うが、アポロン神殿など多くの遺跡のあるデロス島には、考古学者など一部の関係者を除いて、観光客の宿泊は認められておらず、隣のミコノス島を基地に早朝デロス島を目指し、夕方までには島を離れる日帰り旅行となる。そんなに大きくない島にディスコやパブ、レストラン(現代ギリシャ語では、面白いことに「タベルナ」と呼ぶ)など歓楽施設が蝟集《いしゅう》し、若者たちの嬌声《きょうせい》が朝方まで絶えない世俗の島・ミコノスと、古代からの聖地で、文字どおりの遺跡の島・デロスとの対照は著しく、とても原宿・表参道と明治神宮との比どころではない。

しかも、ミコノス―デロス間の海域は波が荒いことで有名で、冬の間は渡ることができない。比較的穏やかな夏の期間でも、朝方快適だったデロス行きの船旅に油断していると、午後、ミコノスへの帰り旅は、うって変わって高波で、座っているのがやっとという状態だった。十数人乗りの小さな船に乗り合わせた乗客同士、多分身振りから同じことを言っていたと思うが、「近くの波ではなく、遠くの方を見ると船酔いしない」と、口々にいろんな言語で、おたがい励ましあった。

そして、夕方近く、ミコノス島が見えてきたときには、引きとめる女神カリュプソを振り切り、故郷イタケ目指して粗末な筏《いかだ》を漕ぎ出し、荒波を乗り切ったオデュッセウスの心境が、少しはわかった気がした。もっとも、二〇日間の海上漂流の末、最後は筏も捨てて、素手で泳ぎ切ったオデュッセウスとは、比べるのもおこがましいけれど。

船が港に着くと、西の空は茜色に輝いて、今までの荒波が嘘だったかのように、穏やかな海面は夕陽に映えていた。

そういえば、オデュッセウスが女神レウコテエにもらったヴェールを約束どおり後ろ向きに投げ入れて、最終的に難を逃れた時の海にも、まさにあの「葡萄酒色」という枕詞が使われていたなー……などと思いながら、今度は船酔いならぬ、本当の酔いがまわったような陶然とした気分になった。

女の領域・男の領域

「男子厨房に入らず」という言葉がある――というより「あった」と言うべきかもしれない。団塊の世代の定年退職を前に、各地で中年以上の男性向けに料理教室が開かれているという。今まで家庭を顧みることのなかった企業戦士が、退職を機に、四六時中家にいる身として、せめて昼食くらい自分で賄うことで、退職後の夫婦関係を円滑にといった趣旨のようである。

そういえば、イギリスに留学していた時、と言ってももう一七年も前のことだが、借りていた家の筋向いに住む老夫婦も、大抵は二人連れなのに、昼前になると決まって夫のトニーだけで出かけるのが日課のようだった。多分、行きつけのパブで、昼食を兼ねてビターとかエイルといったイギリス独特の地ビールを楽しんだ帰りだろう、少し赤ら顔の上機嫌のトニーにすれ違うことがあった。

パブが中産階級の夫たちの避難場所だとすれば、より高級なところでは「クラブ」と呼ばれる男性専用の会員組織の社交場があって、吉田健一のエッセイ(「英国のクラブ」『英国に就て』)などを読んでいると、彼が戦前ケンブリッジの学生だった頃、ロンドンの名門クラブに招かれた時の回想が出てくる。そこには、「クラブというのは男しか出入りしない場所であるのが普通なので、それが英国のクラブの空気をどれだけ新鮮に、或は落ち着いたものに、或は又、不思議に温かなものにしているかは、そう簡単には説明出来ない」という、やや時代を感じさせる記述がある。もっとも、クラブに足を踏み入れたことのない私などその雰囲気を知る由もないが、そうした寛《くつろ》いだ空間を形づくるものとして「昼寝するのに丁度いい肘掛け椅子」が挙げられているのがとりわけ目を引く。

というのも、古代ギリシャの民家は、台所や家事室など「女の領域」と、給仕その他以外には女性の立ち入れない来客用の「男の領域」に截然《せつぜん》と区分され、「女の領域」の象徴が「機織り」だとすれば、「男の領域」の象徴は、客間に数台置かれた「クリーネー」と呼ばれる片肘掛けの「寝椅子」だったからである。

プラトンの対話篇で有名な「饗宴(シュンポシオン)」には、半身を横たえて飲み食いすることの「クリーネー」は必需品であった。ローマの文人政治家・キケロが、「男たちの饗宴に女性を侍《はべ》らす風習はギリシャ人たちの間にはない」と奇異と羨望の入り混じった感想を述べているように、それは男性専用だったのである。

さて、クラブなど論外、自分の家に「男の領域」どころか、書斎さえ確保するのが難しい二一世紀の日本の夫たちには、やはり潔く「厨房に入る」しか選択肢はなさそうである。

笑う哲学者と泣く哲学者

「人生泣き笑い」と言うが、確かに動物のうちで、人間だけが笑ったり泣いたりする。ホメロスの『イリアス』では、アキレウスの盟友・パトロクロスの死を悼んで、彼の愛馬たちが悲嘆の涙にくれる場面がある。馬が涙を流すということを聞いたことがあるが、ここは英雄に選ばれた特別の馬のことゆえの例外としておこう。そして、笑いの方と言えば、今度は馬ならぬ、ロバの鳴き声を思い起こす。だが、あの哀愁を帯びた鳴き声は、けっして手放しの笑いには聞こえない。というわけで、やはり泣き笑いは人間の専売特許ということにして、実は哲学者には、「笑う者」と「泣く者」の二派がある。

笑う方の代表は、紀元前五—四世紀ごろ活躍した原子論者のデモクリトスで、泣く方の代表は、紀元前六世紀ごろ「万物流転」を説いたことで知られるヘラクレイトスである。ローマの風刺詩人・ユウェナリスによれば、欲望のままに右往左往し、虚飾にまみれた人間のありさまを見て、ヘラクレイトスは泣きだし、デモクリトスは笑いだしたという(『風刺詩』第一〇)。

風刺詩人のことだから、律儀に伝記的事実にあたったりしないだろうが、深淵・晦渋《かいじゅう》な表現で悪名高いヘラクレイトスが、「謎かけ人」とか「暗い人」といった渾名をつけられていたことは、ディオゲネス・ラエルティオスの『ギリシア哲学者列伝』の逸話で有名である。そこから、おそらく難解な表現の人という意味の「暗い人」が、ネクラの人と受けとられて、泣く哲学者の代表とされたのかもしれない。

これに対して、デモクリトスの方は、古代の百科事典『スイダス』の項目に、「デモクリトスは人々から〈知恵〉とか、人間たちの空しい生真面目さを笑い飛ばしたことから〈笑い人〉とか呼ばれた」という歴とした記載があるので、当時すでに有名な逸話だったのであろう。いずれにしても、「知識人」などという小賢しい存在ではなく、まさに「知恵」そのものと誰もが認めた大智識・デモクリトスにとって、人間があくせく行っていることは、どれも笑い飛ばすしかない、空しく愚かな業に見えたであろう。

そういえば、赤ん坊が泣くのは、この世界に生まれてきた悲しみのせいだという説がある。一方、赤ん坊は母胎の羊水のなかにいるときに、すでに笑みを浮かべる練習をしているともいう。いずれにしても、赤ん坊は生まれるか生まれないかの段階で、もう親たちの注意をひきつけ、庇護を受けるための、泣きと笑いの戦略を立てているのである。このことを知ったら、やっぱりヘラクレイトスは泣き、デモクリトスは笑っただろうか。

プラトン流飲酒教育

年末年始、何かと飲む機会が多くなるが、どの大学でも「学生委員」といった役職に就いている教員には、学生の飲酒事故という頭の痛い問題が生じる。最近の罰則強化で指導徹底が求められている飲酒運転の禁止は言うまでもないことだが、成年と未成年が入り交じった学生たちへの飲酒の指導という厄介な仕事が、この時期の学生委員の重大な役目である。

さすがに、一時期の「一気飲み」は影をひそめたものの、それでも悪酔いした学生が救急車の世話になることは珍しくない。三月末の委員交代まで気の抜けない日々が続くが、任期を終えて委員同士慰労するにも、立場上、お茶やジュースでという、左党の教員にはとりわけ辛い役目である。

こうした経験からすると、それを書きながら死んだという言い伝えのある、プラトンの文字どおり最後の著作『法律』が、その冒頭で、法や規律を守る訓練として「飲酒の風習」を取り上げているのは、興味深いことである。

話はやや三題噺めいてくるが、そもそも法律や規律が求められるのは、人々が日常、快楽を求め、苦痛を避けるにあたって、自制を失った行動に出るからである。ところで、酒を飲めば、気が大きくなり、羽目を外して、一時的に自制を失ったりするが、人々は自分の経験からその予防や回復の過程を知っている。したがってプラトンによれば、酒を飲むのは、それが適切な仕方で行われるなら、法を破るような過剰な快楽や苦痛、欲望や恐怖に自分自身打ち勝つための、格好の日常的訓練となるというのである。

プラトンの診断では、富・美貌・権力をめぐる怒りや執着、思い上がりや無知による陶酔や熱狂が、歴史上の多くの事件の原因だという。そうした深刻な、しかも一回的な出来事に人々がどう振る舞うかを予めテストするのは難しい。だがその点、酒による酔いは、日頃からその人の人柄を知るために、もっとも安全で、安上がり、しかも簡便なテストだという。まさに古くからのラテン語の警句にいう「酒中真あり」ということだろうか。

では実際に『法律』で、どのような飲酒の仕方が勧められているかと言えば、十八歳未満の未成年には飲酒を禁止し、三十歳までの若者は、生《き》で酒（ワイン）を飲むことを禁じ、水で割って酔いを避けさせ、そして四十歳以降は、ディオニュソス（酒の神、別名バッカス）の与えた薬として、老いの頑さをほぐし、魂を若返らせるために、この酒神への讃歌とともにこれを用いさせるというものである。

プラトン先生、私も日頃からお教えに忠実に、学生の訓練のために、ゼミの飲み会では水割り（ただし、ウイスキー）やお湯割り（ただし、焼酎）を実践し、カラオケで怠りなく酒神に讃歌を捧げております。

古代ギリシャの夢占い

「一富士、二鷹、三茄子《なすび》」――初夢に見ると縁起のいい例の三つ組である。日本一の「富士山」と空高く飛翔する「鷹」がめでたいのは納得されるが、「茄子」がどうしてこれに加わっているのか審《つまび》らかにしない。ともかく、正月元日または二日の夜に、宝船を描いた絵に「長き夜のとおの眠りのみな目覚め波乗り船の音のよきかな」という回文の歌をそえ、これを枕の下に敷いて寝ると夢見がいいとされているから、ずいぶんと手間のかかる話である。

回文とは、「竹藪焼けた」や「新聞紙」など、子供のころ言葉遊びをした、上から読んでも下から読んでも同じ句や文のことである。先の歌くらい長くなると、そのために清音と濁音を区別せず、「眠り」も「ねむり」ではなく「ねぶり」と読ませるなど、いい夢を見るためには、多少のこじつけはやむを得ないということだろうか。

「こじつけ」ということなら、古代ギリシャに一般的だった「夢占い」も、相当のものである。こちらは、正月といった特別の時ではなく、日常茶飯事《こと》あるごとに、自分の見た夢を、専門家に占ってもらって、事柄の吉凶を判断する手掛かりにしたという。

二世紀に活躍した夢占いの専門家・アルテミドーロスは、家業を継ぐべき息子に夢占いの一種のマニュアル『夢判断の書』(城江良和訳、国文社)を書き残した。古代には「占星術」や「鳥占い」、「生贄占い」など、天体の動きや生物の行動によって吉凶を占う専門家がいた。だが「夢占い」は人の夢を扱うだけあって、結婚・妊娠・出産、蓄財、身体各部の状態、飲食、賭け事といったことから、さまざまな動物や植物、神々、そして自然現象に至るまで、夢に登場するありとあらゆる事象を分類し、それが示す吉凶の徴《しるし》を見分ける方法が示されている点で、古代末期の人々の人生のパノラマのような趣きをもつ稀書である。

たとえば、船が沈む夢を見た人が、後に難破の不運に遭うといった「直示的な夢」ならわかりやすいが、奴隷が戦場で闘うといった「比喩的な夢」には、夢占いの専門家の出番となる。この夢は、市民が見れば没落の凶兆だが、奴隷が見れば解放の吉兆となる。というのも戦士は市民に限られるから、という説明は多少こじつけ的だが、夢を見る者に応じてその意味は違ってくる。

こうした夢にはしばしば性的な事柄が含まれることから、後にフロイトが『夢判断』の冒頭でアルテミドーロスを自らの先駆として引いているのも当然である。だが、過去の心的外傷(トラウマ)を解明し治療することを目的とする精神分析と違って、古代の夢占いは、身辺のさまざまな事象から未来の吉凶を占うことで、たとえ順境でも浮かれず、逆境でも絶望しない行動の指針を与えるものだった。

さて、お正月、あなたはどんな夢を見ましたか——え、夢なんか見ないって?

風の教え

まだまだ寒い日が続くが、テレビの天気予報を見ていると、最近は気象衛星のおかげで、雲の動きを映像で見ることができ、雨や雪が運ばれる様子が手に取るようにわかる。風には、各地で昔から言い伝えられてきた名前があって、「やませ」(東北地方を中心に用いられる「北東の風」の呼称)や「はえ」(西日本を中心に用いられる「南風」の呼称)、そして「こち」は「東風吹かばにほひおこせよ梅の花」という菅原道真の歌で、あるいはより馴染みがあるかもしれない。いずれにしても、こうした由緒ある風の呼び名が、気象情報の発達とともに失われていくのは、何か淋しい気がする。

ギリシャにおいても、北風はボレアス、南風はノトス、西風はゼフュロスとそれぞれ呼ばれた。ヘシオドスの『神統記』ではこれらは兄弟とされ、春の雪解けを誘い、木々の芽生えや花々の開花をうながす西風・ゼフュロスに対して、北風・ボレアスはその狂暴さで知られ、とくに冬の間はしばしば船を沈めるなど、ギリシャ人に恐れられていた。

ホメロスの『オデュッセイア』には、これらの風たちを支配する風神・アイオロスにまつわる逸話がある。英雄・オデュッセウスが故郷への帰還の船旅で嵐に遭うことがないように、アイオロスが荒々しい風たちを袋に詰め、銀の綱で縛って渡したものを、宝物と勘違いしたオデュッセウスの部下が開けたために、船は難破し、主従ともども大変な目に遭ったという話である。

ボレアスについては、プラトンの『パイドロス』の冒頭にも別の話がある。めったに市街を出ないソクラテスが、珍しくアテナイの城壁の外を流れるイリソス川のほとりを散歩しながら、アテナイの王女・オレイテュイアを北風・ボレアスがさらっていったという土地の言い伝えを紹介する場面である。当時すでに伝統的な神話を迷信として退ける合理的風潮があって、岩のあたりで遊んでいたオレイテュイアが北風に吹き飛ばされただけのことだという説明がなされていた。

ソクラテスがこの神話を持ち出したのは、こうした風潮を皮肉るためだった。というのも、古来からの言い伝えには、当時の人々にはもはや忘れ去られた知恵が隠されているかもしれず、何でもすべて解明できるとする合理的思考のうちに、ソクラテスは人間の驕りを嗅ぎとったからである。つまり、「自然」の前に「自己」を知れと言いたかったのである。

それにしても、最近の異常気象は、われわれ現代人もまた風神・アイオロスの与えた袋を破ってしまったように思えるのだが、どうだろう。それはまた、自分自身の生き方を見つめ直せというわれわれへの警告であるのかもしれない。

一日のなかにも人生の春秋がある

「青春」という言葉はお馴染みだが、これにはさらに「朱夏・白秋・玄冬」と続くことはあまり知られていないように思われる。これは中国古来の五行思想に由来し、万物を構成する五つの要素、木・火・土・金・水に対応して、方角や季節などを五つに分けたものである。色も青・赤・黄・白・黒に分けられ、それに季節の名を付して、人生の時もまた「青春・朱(＝赤)夏・白秋・玄(＝黒)冬」に区分される。だが、「五行」と言いながら四つではないか――と訝しく思われる方があるかもしれない。実は、季節にはもう一つ「土用」があって、これは夏にだけあるのではなく、立春・立夏・立秋・立冬のそれぞれ直前の一八日間の呼称で、要するに季節の変わり目である(因みに、色では「黄」がこれに対応する)。

こうした東洋の伝統思想に対応するのは、西欧では哲学よりもむしろヒポクラテスの医学の考え方だろう。ヒポクラテスは、人体を流れる体液を、血液・黄胆汁・黒胆汁・粘液の四つに分類し、冬には冷たい粘液が優勢であるが、春になるにつれて血液が次第に増加し、夏になると黄胆汁が増え、秋には黒胆汁が優勢になると考えた。秋になると何やら物悲しいのはそのためである。因みに、黒胆汁は「メライナ・コレー」と呼ばれ、メランコリー(憂鬱)の語源である。こうした考えの背後には、乾／湿、暖／冷の組み合わせによって、粘液は冷たく乾いた土の要素、血液は暖かく湿った火の要素、黄胆汁は暖かく乾いた空気の要素、黒胆汁は冷たく湿った水の要素が、それぞれ優勢なことによるとする四元素説が控えている。

このように五行説にせよ、四元素説にせよ、東西の古来の知恵は、人間に起こるさまざまな現象を孤立したものとは見ず、宇宙に起こる出来事の循環的構造と結びつけて考えてきた。季節の巡りを、乾／湿、暖／冷の対立の組み合わせとして捉えるとともに、人生もまた暖かで湿った赤ん坊の時代から——最近、銀行の自動支払い機が指を触れても反応してくれなくなって、われながら実感させられているのだが——乾いて冷たい老年の時代へと移り行くのである。

それだけではない、夜明けから黄昏に至る一日の刻々の移り行きもまた、一年の春から冬への四季の巡りに、そしてまた赤ん坊から老年に至る人生の行程になぞらえられる。ローマ時代の哲学者であるとともに文人政治家でもあったセネカは、長い人生をあたかも一日しかないかのように大切に、逆にまた一日を一つの人生であるかのように丁寧に生きることの重要性を説いた。そして眠るときには、「悦びをもって、われ生きたり」と言えるかどうかを、一つの指標とするよう勧めた。

メタボとメタボリック

横文字やカタカナ言葉の氾濫にともなって、好むと好まざるとにかかわらず、言葉を省略するのが流行っているけれど、略し方でずいぶんと印象が違うものである。ＩＴを「イット」と読んで失笑を買った首相は、もう何代前になるのだろう――あれから自分自身、新聞を読んでもその略号が何を意味しているのかわからない語が急に多くなった気がして、他人事と笑ってはいられない。

また、地方差もあって、有名なハンバーガー・チェーンの名前の略し方が、関東と関西で異なるというのはよく知られた例だろう。たぶん、江戸っ子の子音を強調するしゃべり方と、上方の語尾の母音を強調するしゃべり方の違いも、大きな影響があるかもしれない。そういえば、関西でのその呼び名は、「毎度、おおきに」の「マイド」に、何となく通じているのが可笑《おか》しい。

時代の変化でイメージが変わって呼び名が変わったのか、それとも呼び名が変わってイメージが変わったのか、どちらかわからないが、最近は「アキバ系」などと、「秋葉原」の呼び方も変わってきた。実はこれはもともとの呼び名に戻っただけで、明治時代には「あきはばら」

ではなく、「あきばはら」と呼んでいたらしい。

逆に、以前の呼び方が、省略で悪いほうに印象が変わった代表は、「メタボ」だろう。もともとは「メタボリズム」といって、新陳代謝を意味する語である。そして代謝異常による肥満を「メタボリックシンドローム」と呼ぶようになって、「メタボ」と省略され始めた。けれども、もともとこの語は歴とした哲学用語で、アリストテレスが、自然界に起こる変化一般を表現するために、新たに導入した語である。というのも、運動・変化といっても、場所的なものもあれば、性質の変化もある、また量の変化もある。さらに、生成と消滅、誕生と死もまた、重要な変化である。

アリストテレスは、「ある」という言葉が、多様な意味を持つのとちょうど同じように、「変化」にもまた、そうした「実体」「性質」「量」「場所」といった「カテゴリー」の違いに応じた区別があると考えた。そしてそうした変化全体の総称を「メタボレー」としたのである。

だから、二一世紀に入って、自分が変化一般を表現する語として作った「メタボレー」が、「メタボ」と省略され、もっぱら腹部の肥満を意味する語になってしまったのをアリストテレスが知ったら、何と言うだろうかと、この言葉を聞くたびに思う。

聴く力

教師になって四半世紀がたつが、いまだに慣れないのは人を叱ることである。まだ新米教師のころ、非常勤で出講していた大学の大教室の授業で、私語を注意したのに止《や》まないので、怒り心頭に発して、それ以降の講義がメタメタになったことがある。

さすがに最近は、本当に怒ったら負けということぐらいは学習して、学生たちの注意を喚起するのはやたら声を張り上げても無駄であることがわかってきた。むしろ最初に声を小さく落とした方が効果的だとか、私語の発生源の近くまで体を運んで、重点的にこまめに抑止するとか、ある程度のテクニックは身につけたつもりである。

けれども、最近気になるのは、私語をしたり騒いだりするのは、まだ御しやすい方で、反応が乏しかったりなかったりするのが、いちばん厄介だということである。

今から考えると、自分たちの学生時代は、大学闘争とか学生運動とか、それに積極的に参加した者も、しなかった者も含めて、クラス討論とか自主ゼミとか、ともかく仲間と議論する機会が多かった。そうした世代に属する今五十代以上の教師にとって、質問したり意見を求めて反応がないというのが、まず信じられないし、それに対応するのにいちばん苦労するというのが現状である。「自分の考え」を持つということを一種の強迫観念としてきた世代にとって、そうした「沈黙の世代」は、何か理解できない不可思議な存在である。私語を注意するのは簡単だが、沈黙する人間に話をさせるのは本当に難しい。

今時分になって気づくのは恥ずかしいが、対話相手に自己の無知を気づかせるはずのソクラテスの問答法においては、ともかく相手が「自分の思っていることを話す」ことがなければ事は始まらない。だから、問答以前の沈黙には、さすがのソクラテスも対処のしようがない。けれども、私自身のささやかな経験から言えることは、人は必ず話す事柄を抱えている……ただし、それが打ち明けられるのは、それを聴こうとする者に対してだけだということである。そして大切なのは、〈自分のうちにある声〉に気づかせることである。

「聴く力」ということが、最近しばしば言われるが、教師だけでなく、医師、弁護士、そして政治家にも求められているのは、何よりも自分以外の人の言葉に耳を傾ける「力」、相手に自分のうちにある声を気づかせる「力」である。

最近、小学校から大学まで、教師への風当たりが強いが、「教える者」といった鎧を取り払って、まず「聴く者」になろう、これは最近とみに実感している自戒の言葉である。そして、たぶんこれは教師だけに当てはまることではないように思う。

川の流れ、命のリレー

「ゆく川の流れは絶えずして、しかももとの水にあらず。よどみに浮かぶうたかたは、かつ消えかつ結びて、久しくとどまりたるためしなし」という、鴨長明『方丈記』の冒頭の一節は有名だが、同様の考えを、紀元前六世紀の小アジア（現在のトルコ）西岸に生まれたヘラクレイトスは、「万物は流れる（パンタ・レイ）」と表現した。同様の考えといっても、人生のはかなさ、「無常」を比喩的に表現した長明と違って、ヘラクレイトスは、宇宙全体が実際に循環的な構造をしていると考え、「魂にとって水となることは死であり、水にとって土となることは死である。しかし土からは水が生まれ、水からは魂が生まれる」（断片36、廣川洋一訳）という彼の言葉にあるように、そうした変化の中に一定の秩序の存在を見出したのである。

このヘラクレイトスの断片から思い出すことがある。中学に入ったばかりの梅雨明けの初夏、友人二人と郊外の川で水遊びをした思い出である。引っ込み思案で、決して活発とは言えない少年だった自分が、どうしてそんなことをしたのか今でも不思議だが、「夢前川《ゆめさき》」という地元の川の上流に友人の親戚の家があって、その竹藪から切り出した竹で筏遊びをしたのである。

もう四〇年以上も前のことで、今と違って川の両岸は護岸工事などされておらず、大小の石を踏みながら、切り出したばかりのまだ青臭い樹液の滴る竹を抱えて、三人がかりで十数本の竹を水際まで運び、それをさらに切りそろえて、持参した針金とペンチで、畳二畳ほどの大きさの筏を組んだ。残しておいた長めの竹を棹代《さお》わりに、三人どんな顔をして乗り込んだのだろう、ともかく、浅瀬からゆっくりと漕ぎ出したときの緊張と興奮は、今でも何か鼻の奥がツーンとする感触とともに甦《よみがえ》ってくる。

無謀と言えば無謀、家の者にはどう言って出かけたのか。小学校を出て、新しくできた友達と、急に小さな世界の外に目が向いて、冒険がしたくなったのだろう。結果は、ご想像どおり、中学生とはいえまだ非力で、筏を組み合わせる十分な技量もなく、数十メートルも漕ぎ出さないうちに筏は浸水し、腰まで水に浸かりながら三人とも必死で漕いだものの、とうとう筏は分解した。びしょぬれでどうやって陸《おか》までたどり着いたか覚えていない。

少年のころのささやかな冒険談だが、あのときの水際での「死」と隣り合わせの「生」の感触を思い出すたびに、その後生物の時間で習ったことだが、人間の卵《らん》細胞が次第に成長する過程で、魚類のように鰓《えら》があったり、両生類に近い形をしたりする段階のあることを、妙に生々しく実感する。一つの川の流れのように万物はその姿を変えながら持続し、そして生命も同じように連綿と手渡されてきたのだということに、今さらながら驚きを新たにする。

エコロジーとエコノミー

地球の温暖化やそれにともなう気候異変によって、CO_2（二酸化炭素）削減のためのさまざまな方策が模索されているが、われわれ個々人の日々の振る舞いの積み重ねが、地球全体の環境に影響を与えるということは頭ではわかっていても、さて行動に移すとなると、なかなか実感がわかないというのが実情ではないだろうか。たとえば、買い物のあと自動的に渡されてきたレジ袋の廃止や有料化は、ゴミの削減に有効だとわかっていても、大量消費時代によって生まれた生活形態を急に改めるのは難しい。

考えてみれば、お勝手の入り口に買い物かごが下げられていて、買い物に行く時はいつでもすぐそれを持っていけるようにしてあったり、豆腐屋の笛が聞こえると鍋を持って駆け出したのは、ついこの間のことのように思える。でも、それは近所にさまざまな商店があって毎日こまめに買い物に出かけるという時代の生活様式の一部で、郊外のスーパーマーケットに自動車で行き一週間分のまとめ買いをする生活では、いくら「エコバッグ」という新しい名前をつけても、買い物かごの復活はなかなか容易なことではない。

それは、「効率」を第一に、個人の利益を最優先に進めてきた文化と生活様式を、多少の不便や不効率を我慢しても、全体の利益を考える文化と生活様式に切り替えていくことの困難さだと言い換えてもいいだろう。実は、「エコノミー」と「エコロジー」という二つの言葉は、「エコ」という、もともとギリシャ語で「家(オイコス)」を意味する共通の語源をもっているのである。そして両者のあいだには本来密接な関係があったということを思い起こす必要がある。

もっとも「家」というと、夫婦二人に子供一人といった現代の家庭とその住まいを連想するが、古代ギリシャの「家」は、一族郎党、使用人も含めた大家族のことで、したがって「エコノミー」の語源「オイコノミアー」とは、農耕地や作物の収穫や管理を含めた「家政」のことだった。もちろんすべての「家」が自給自足ではなかったけれど、それでも、戦前の日本の農家もそうだったように、家族の食物のある程度は自給されていたし、排出されるゴミの多くは肥料にするなど、小さいながらも「循環型経済」の拠点となっていて、その意味での「エコノミー」は「エコロジー」と一致していた。

好むと好まざるとにかかわらず、近代的個人の自立は「家制度」からの自立であり、ひいては「家制度」そのものの克服を必要としたことは、明治以来のこの国の歴史が示している。けれども、「エコノミー」と「エコロジー」が「エゴ(自我)」ならぬ「エコ(家)」を共通の語源とするのは意義深いことである。というのも、自立した個人に改めて、地球全体を自分の「家」と考える、新たな見方に立つことが求められているからである。

オリンピックと休戦協定

チベット問題をめぐる聖火リレーの妨害や、その後の四川大地震による甚大な被害など、多難な出だしだった北京オリンピックも、いよいよ本番である。「平和の祭典」と言われる近代オリンピックだが、一八九六年の第一回大会以来、第一次・第二次の両世界大戦や、より最近では冷戦下のモスクワ・オリンピックのボイコット騒ぎなど、戦争や政治的対立に翻弄され続けてきたのは皮肉である。というのも、そもそも近代オリンピックがその範を仰いでいる古代ギリシャのオリンピック競技において、それが執り行われた背景の一つに、「休戦協定」があったからである。

紀元前七七六年に第一回のオリンピックが開かれたというのは、多分に後世に作られた伝説の色合いが濃いが、少なくともそのころまでに、「ギリシャ人(ヘレネス)」が、さまざまな方言はあるものの同じギリシャ語を話し、神話を共有し、生活様式を等しくするという一体感をもつにあたって、オリンピック競技が大きな役割を果たしたことは確かである。ペロポネソス半島西岸の、今日でもアテネから遠隔の地であるオリンピアに、ギリシャ全土から競技者や観客が集まるには、相当の時間と労苦を必要とした。しかも真夏の炎天下に競技が催されたのは、それが農閑期だからであり、同時に豊作を神々に感謝する収穫祭という宗教的な意味も込められていた。

だが、そうした農閑期はまた、古代の戦争が多く行われた時期と重なる。日本の戦国時代も事情は同じだったようだが、将軍たちはともかく、実際に戦う兵士たちの多くは農民で、大切な農作業の期間は戦《いくさ》どころではなかった。したがって、オリンピック開催のためには、「エケケイリア」(「手を引く」という意味)と呼ばれる「休戦協定」が必要だった。そして、昨日まで戦っていた兵士たちが、今度は平和の競争を行ったのである。

それにしても、悲劇の上演競争や弁論の競い合いにも見られる、古代ギリシャ人の「競技(アゴーン)好き」はこの場合も例外ではなく、一スタディオン(約一九〇メートル)の短距離走やこれを十二往復(約四六〇〇メートル)する長距離走、さらには競走・幅跳び・円盤投げ・槍投げ・レスリングの五種競技(この伝説的な競技が、実際にどのように競われたかは不明)、そしてさまざまな格闘技など実に多彩な競技があった(休戦してまでまた疑似戦争をすることもなかろうにというのは、運動が苦手な筆者の独り言)。

マラソンを含めて、本来古代オリンピックにはなかったさまざまな「新たな伝説」が、近代オリンピックによって創られた。けれども、「休戦協定」が古代オリンピックの背景にあったことを、この機会に改めて思い起こしたい。

医の神々への誓い

古代ギリシャのヒポクラテス派の医術に関連した文書の一つに、「誓い」と題されるものがある。「私は誓います。癒し手・アポロン、アスクレピオス〔医術の神〕、ヒュギエイア〔健康の女神〕、パナケイア〔癒しの女神〕、そしてすべての男神と女神にかけて、これらの神々の証言のもと、私の能力と判断の及ぶかぎり、この誓いと盟約とを守らんことを」という前書きで始まる、一人称で語られた短い誓約文である。

それに続く本文は、「徒弟の盟約」「医術の責務」「患者への接し方」の三つの項目に分かれていて、まず、医術の徒弟的な伝授に関して、師を両親同様に敬い、また師の血族を兄弟同様に考え、富を分かち、技術を無償で伝授すること、そしてそうした技術の伝授を直弟子に限るという、典型的な徒弟制に基づいた盟約がなされている。最近、博士の学位審査の謝礼問題に関して医学教育に残る徒弟的体質が云々されるが、古代の医術の伝授に金銭が伴わなかったということは、本来の徒弟制のために是非とも弁じておきたい。

さて、次の「医術の責務」には、「修得された養生術を、患者の救済のためにのみ用い、健康を害したり、不正を行うためにこれを用いないこと、ましてや、たとえ求められても死に至らしめるような薬を施すことなく、またそうした相談に乗ることもしない。また、妊婦に流産を促すような施術を行わない。こうして、わが生と術を純潔で穢れなきものとして保ち、また、手術は結石を病む者にもこれを施さない」という、近年の医療をめぐるさまざまな出来事を顧みて、考えさせられる言葉が並んでいる。

意外なのは、手術の禁止だが、ヒポクラテス派の他の医学書では手術は禁止されていなかったし、また、治癒の見込みのない病や怪我に苦しむ患者に対する「安楽死」や、母体保護の目的以外の堕胎も決して珍しいことではなかった。だが、「養生術」という言葉にも示されているが、古代における治療はむしろ食養生が中心だった。ここで「薬」と訳した原語の「パルマコン」には、死刑を宣告されたソクラテスが自ら飲み干した「毒ニンジン」のように「毒」という意味もある。「薬」となるか「毒」となるかは、その用い方次第なのである。

さらに注目すべきなのは、第三項目の「患者への接し方」であり、医師の立場を利用した患者に対する、今日の言葉でいえば「セクハラ」「パワハラ」の禁止、さらに、職業上知りえた情報を他言することを禁ずるといった、今日の目から見ても十分評価することのできる「専門家の責務」を説く言葉が続いている。

最後は、この誓いを守ることによる名声と幸福への期待と、破った場合の逆の運命への覚悟で結ばれているが、おそらくこれは単に医師ばかりでなく、人の生き方を左右する多くの専門家の心得としても、十分通用するものであると思う。

葡萄と山羊と悲劇

芸術の秋、そしてそろそろワインの新酒の出回る季節だが、古代のアテナイでは葡萄の収穫祭である「レーナイア祭」以外に、葡萄と縁の深い酒神・ディオニュソスを祀る「大ディオニューシア祭」があった。そして、アテナイの暦では「エラペボリオン月」(今日の三月の新月から始まる月)に悲劇の上演競技が行われた。

どうして秋ではなく春なのか――一九世紀末のイギリスの古典学者で、人類学の誕生にも大きな役割を果たしたJ・G・フレイザーは、『金枝篇』において、これを植物神の死と再生の神話に結びつけた。ディオニュソスの別名「バッコス」、英語読みで「バッカス」となれば、「酒神」としてお馴染みだと思われるが、ワインの神様が葡萄と縁が深いのは当然である。そして、フレイザーは古代の樹木霊崇拝の名残を、ディオニュソスの祭に見出したのである。

では、それが悲劇上演とどんな関係があるのか。同じくフレイザーによれば、葡萄と縁の深いディオニュソスは、同時にまた山羊《やぎ》とも関係が深く、この方面ではギリシャの牧神・パンやサテュロス、イタリアのファウヌスが山羊の姿をしているのに通ずるという。そして、悲劇を表すギリシャ語「トラゴーディア」は、「山羊の歌」を意味している。しかも、奇妙なことに、山羊は葡萄の葉や樹皮を食い荒らす天敵と考えられていた。つまり、ディオニュソスは、葡萄の木の守護神であるとともに、その天敵の山羊の化身でもあった。

これを矛盾と見るのは近代人の狭い考えで、古代人にとって、植物神・樹木霊が自らを食べる山羊に姿を変えたと考えるのは自然なことだったというのが、フレイザーの主張である。そして、その山羊を悲劇上演に先立って犠牲に供するのは、秋(地中海世界では、むしろ晩夏)の収穫期に一旦《いったん》死んだ植物霊が、春になって再び生き返る「蘇《よみがえ》りの儀式」の姿を変えたものだという。

こうした考えを、遠い昔の地中海世界の出来事として、われわれとは無縁のものとみなすのは早計である。というのも、丸谷才一さんの『忠臣蔵とは何か』では、あの討ち入りの復讐劇は、平安時代以来の「御霊会《ごりょうえ》」にも見られる、農耕民族の春の祭に起源をもつという斬新な説が打ち出されているからである。そして、冬の王に殺された春の王の復讐が半年後に成し遂げられ、若々しい春の王が蘇るという、やはり古代の植物霊信仰が背景にあるらしい。

ギリシャ悲劇がディオニュソス祭から生じたと言われるように、一種のカーニヴァル的祭典として歌舞伎の『仮名手本忠臣蔵』を見るなら、東西の別はあるけれど、そこに人類共通の神話的記憶を辿ることができるかもしれない……などと、ワインを飲みながらとりとめない考えに耽った。

かたちと色

古代ギリシャ文明の象徴としてアクロポリスの丘に聳え立つ白亜のパルテノン神殿が、紀元前五世紀の創建当時、彩色されていたということは、あまり知られていないかもしれない。そして、今は空っぽの神殿の内部には、当時のアテナイの政治的指導者・ペリクレスに重用された彫刻家・フェイディアスによって作られた女神・アテーナ（通常、「アテーナ・パルテノス」と呼ばれる）の巨大な彫像が祀られていたというが、その女神像も極彩色で飾られていたらしい。

したがって、現在大英博物館に所蔵されている有名な「エルギン・マーブル」のレリーフ中の戦う英雄や馬たちも、彩色されていたと考えるのが、自然である。だが、白いレリーフや彫像を見慣れているわれわれにとって、それらが彩色されていた様子を想像するのは難しい。

もっとも、古代のギリシャ人にとって、形あるものはみなすべて色を帯びているものだった。たとえばプラトンの『メノン』という対話篇では、「かたち（スケーマ）というのは、つねに色（クローマ）を伴っているもの」という一種の定義が与えられている。この定義の不備をめぐって、ソクラテスとその対話相手・メノンとのあいだで、形とはものの表面・限界であるとか、色とはその表面から発出してくるものだといった、当時の学説を背景とした、例によって理屈っぽいやり取りが続く。だが、少なくとも当時の多くの人々にとって、色を欠いた形というものは考えられなかったということは、そこでの共通了解になっているように思われる。言い換えれば、透明な空気や水には、それ自体としては形はない――ということである。

だから、人間の意思によって作られた造形に、色は欠かせない。仮に色を欠いた建造物や彫像があったとしても、それは未完成だと思われたことだろう。けれども、皮肉なことにルネサンスや近代の芸術家たちは、むしろ色の失われた古代ギリシャの建築や彫像の姿のうちに、自分たちの範とすべき美を見出した。もし、古代の人々が、ミケランジェロやロダンの作品を見たら、きっとこれはまだ制作途中の未完成品だと思ったことだろう。逆に現代のわれわれにとって、極彩色のパルテノン神殿は、やはり何か興ざめのような気がする。

プラトンは、当時の一般の人々の考えとは異なり、手に触れることも見ることもできない、変わることない真の「かたち」を「イデア」と呼んだけれども、数千年風雪に耐え続けてアクロポリスの丘に立つ、あのパルテノン神殿こそ、余分な色や装飾を削ぎ落とした純粋な「かたち」に次第に近づきつつあるのかもしれない。

市民と合唱

年末になると各地でベートーヴェンの「第九」が演奏されるようになったのは、いつのころからなのかわからないが、すっかり年中行事のひとつとして定着している。しかもその多くが各地の「市民合唱団」など素人のコーラス愛好家たちの参加によるもので、プロやアマチュアの交響楽団と共演するという形をとっているように思われる。普段はあまりクラシック音楽の演奏会に足を運ばない人も、友人や近所の知り合いが参加するというので出かけるということも多いのではないだろうか。

そのことでふと連想するのは、古代アテナイの悲劇上演のことである。悲劇は純然たる台詞《せりふ》劇ではなく、音楽の伴奏つきの歌による朗唱劇である。古くは、俳優なしの合唱隊のみの朗唱から始まったと言われ、合唱隊（コロス）は今日の「コーラス」の、また彼らが歌い踊った舞踏場（オルケーストラー）は「オーケストラ」の語源となっている。古典期のアテナイでは、専業の俳優も演出家もおらず、「合唱指導者（コレーゴス）」と呼ばれる有力市民が勧進元となって、悲劇の上演コンクールのために市民たちを募って上演集団を組織したのである。

興味深いのは、アテナイでは、市民は兵役の義務を負い、武器を自前で装備しなければならないのは他のポリスと同様だが、同時にそうした悲劇の上演集団に加わることもまた、市民としての重要な役割と考えられていたことである。

トゥキュディデスの『戦史』におけるペリクレスの葬送演説には、ペロポネソス戦争で戦死した市民たちの武勇を讃えるとともに、四季を通じて競技や祭典が催されたとある。そして、その観客として外国人が見物するのも妨げなかったアテナイの文化的な優越性と開放性が誇らしげに語られているが、悲劇上演はそのうちでも重要な活動であったと思われる。強いてわれわれのうちに類比を求めるなら、各地のお祭りにおける神輿《みこし》や山車《だし》への地区の成人男子の参加といったものだろうか。

だが、私自身正直なことを言えば、「第九」の第四楽章を聴くのは居心地が悪い。小学校のころ選抜されて市の少年少女合唱隊で「歓びの歌」を歌わされた経験がそう感じさせるのかもしれない。けれどもそれは、この合唱中心の第四楽章が、「どんな人間でも参加して、いっしょに歌うよう招待し、その参加を歓迎している音楽なのではあるまいか?」(『私の好きな曲』)と以前吉田秀和さんが指摘されていたことに関係しているように思われる。それは、古代のアテナイ以来の、市民の参加を基本とする「コロス」の本来の働きが、そこに依然として宿っているからだろうか。

ちなみに、私は「お祭り」に対しても何か「居心地の悪さ」を感じてしまう「非参加型」の市民である。

知識と贈与

私のような大学教師にとってはやや耳の痛い話だが、ソクラテスは授業料を取らなかった。アゴラ(広場)に集まって議論するのが当時の市民たちの習慣だったが(実際、「アゴレウエイン」、つまり「アゴラする」というギリシャ語は、「話す」という意味である)、ソクラテスが年若い友人たち相手に、「正義とは何か」「勇気とは何か」と問いかける問答は、無償の交わりであった。

もっとも、その若者のうちには、後にアテナイの民主制を打倒して、「三十人僭主《せんしゅ》政権」といわれる一種のクーデターを起こす首謀者が含まれていた。「新奇な神を導入し、若者たちを堕落させた」というソクラテス裁判の告訴状の後半は、こうした交友関係が災いしたとも考えられる。

プラトンは師・ソクラテスに倣って、知識は与えるものではなく引き出すものという考えをもっていた。そのため、授業料を取ってさまざまな事柄を教えたプロタゴラスやゴルギアスといった、ポリスを渡り歩いてさまざまなことを教えるソフィストや弁論家を厳しく批判した。「ソフィスト」というのは、本来「知識人」といった意味で、必ずしも悪い意味をもつものではなかったが、われわれ自身の身近な経験からも想像できるように、自分の専門以外の事柄にも滔々《とうとう》と意見を述べる「知識人」の評判は、その当時すでに悪いものとなっていた。

プラトンがソフィストや弁論家を批判するのは、友人たちの間での共同の真理の探究を目指すソクラテスの問答とは異なり、彼らが聞き手の聞きたがっていることを語り、信じさせるという「説得」を、その活動の中心に置いていると見たからである。しかも、ギリシャの文化において、「説得」とは、ある種の代償をつねにともなうものだった。

古代のギリシャ文化は、現代のわれわれも顔負けの贈答社会であった。フランスの社会学者・人類学者のモースは、これを「贈与」という概念によって、古代からの人類の活動を解き明かす手掛かりとした。未開社会における贈り物には、「ハウ」とか「マナ」といった「物の霊」が宿っていて、贈与への返礼を促す力が含まれていると考えられていたという。

つまり、自分の社会的栄達にとって有益な知識や弁舌の技術を与えてくれるソフィストや弁論家に、受講生が対価を払うのは、彼らの与える「知識」、というより今日の言葉でいえば「情報」は、まさに返礼の必要な贈与とみなされていたということである。

はじめに「耳の痛い話」と言ったけれど、私のような哲学の教師は、普段漠然とソクラテスの伝統に連なっていると思っているだけに、学生から「哲学は何の役に立つのですか」と改めて真正面から聞かれると、いったい自分はソフィストとどこが違うのか、自問自答しなければならなくなる。

対話の作法

母語と異なる言語を学ぶことは、新たな考え方に心を開かれることである——そんなことを誰かが言っていたような気がするが、私も職業上、主として西欧の言語を中心にいくつかの言葉を習得し、そして現在も辞書の世話になりながら、それらのどれか一つは必ず読む毎日である。そのうち古代ギリシャ語は専門の関係で、十八歳のころ大学で初めて習って以来、かれこれ四十年と年季が入っているが、それでも辞書を引かない日はない。時には、以前に引いて(ギリシャ語・英語辞典なので)自分で訳語を記入したりしているのを見つけると、がっかりする。引いたことすら忘れているのである。

さすがに活用を忘れることはないが、不規則な動詞の活用など、学生たちの手前、大きな声では言えないが、怪しくなっている箇所がある。以前、初級文法を教えていたころの名残で、活用を声に出してやると、わりとすんなり口を衝いて出てくる。そんなとき、きまって不思議に思うのは、ギリシャ語には、どうして名詞には「双数」が、そして動詞には「中動相」などという厄介なものがあるのだろうという疑問である。

日本語は、名詞の「単数」と「複数」の区別が明確でないので、英語を学ぶ時、不定冠詞の

aをつけるのかつけないのか、語尾にsをつけるのかつけないのか、迷うことになるが、ギリシャ語には、「単数」と「複数」のあいだに、さらに「双数」というのがある。要するに、二つでひと組のものをまとめた表現で、それに合わせて動詞の変化も別にある。目も手も足もそれぞれ二つなので、それらを一組だと考えれば、同じ扱いとなる。

同じく、動詞の能動態・受動態はわかりやすいが(日本のギリシャ語教育では、どういうわけかそれを「相」と呼ぶ)、「中動相」というのは、純粋に能動とも受動とも言えないもので、たとえば自分の体を洗うとき、はたして自分は洗っているのか、洗われているのか――そういう場合に、「中動相」が使われる。

実はこの「双数」と「中動相」が重なっているものがある。それは「対話」である。対話は、二人の人間が行うものであり、複数の人間のあいだで行われるにしても、その都度、結局二人ずつで行われる。そして、「対話する」という動詞は、「彼ら二人は対話している(ディアレゲストン)」のように、まさに「双数・中動相」で用いられる。つまり、単に「話す」のではなく、同時に「話される」という双方向的な活動なのである。

最近「党首討論」なるものがあるが、あれはお互い一方的に「話す」だけで、「話される」方はすっかり抜け落ちていたような気がする。さて、みなさんは、対話してますか?

哲学の役割

子供は成長の過程で、どんなことに対しても「何で?」「どうして?」といった問いを投げ掛けて、大人を困らせる時期がある。「どうして勉強しなければならないの?」「何で嘘ついちゃダメなの?」——たいていは、自分が叱られるようなことをした時の言い訳だったりするのだが、大人の方はそう真正面から聞かれると、しばしば答えに窮して、「ダメなものはダメ」とか言いくるめるのに苦労することになる。

そうした子供の一面をよく表した逸話が、『徒然草』の最後の段にある。著者・兼好が八歳のころ、父親に「仏とは何か?」と問うたのに対して、「人がなったものだ」という答えに、さらに「どうして人は仏になるのか」と問うたという。これに対して父親が「仏の教えによってそうなった」と答えると、「その教えた仏はどうやって仏になったのか」とさらに尋ねたという。すると父親は「さらに前の仏の教えによってそうなった」と答えたが、「では、最初の仏はどうやって仏になったのか」と問い詰められて、とうとう父親は「空よりやふりけむ、土よりやわきけむ」と苦し紛れの答えをしたという話である。

同様の話は西洋にもあって、ヘレニズム時代の哲学者・エピクロスは、やはり子供のころ、万物がそこから生まれてくる根源だとされる「混沌（カオス）」は、それ自身どこから生ずるのかと大人を問い詰めて困らせたという。

哲学の問いは、ある意味ではこうした子供の問いに似ている。それは人々が疑わない常識や、専門家がそれぞれの領域で自明のこととして問うことのない前提を、あえて問うことで、事柄を別の目で見ることを促す役割をもっている。

考えてみれば哲学は、「万物の根源は水だ」と自然的世界の成り立ちを説明したタレス以来、一七世紀のデカルトやニュートンの時代まで、今日の物理学を「自然哲学」としてその一部に含むものだった。その後さらに一九世紀末には、心理学や社会学が哲学から独立していき、哲学は子供たちが独立した後の老夫婦だけの家、あるいは植民地が次々と独立した後のかつての大帝国という感じになってしまった。そこで、一種の「痩せ我慢」というべきか、哲学こそ諸学を基礎づける「学の学」だと空威張りした時期もあったが、諸科学の高度の専門化と細分化によって、そうした幻想も早々と消え去った。

そこで哲学に残されたのは、ソクラテスの「無知の自覚」に立ち返って、いわば素人の代表として、専門家にとっては盲点となるような事柄を指摘する役目であるように思われる。その意味で、さまざまな領域に細分化された現代社会の諸課題を、もう一度生活者の目で、いわば子供の素朴な疑問に倣って、事柄を見直す手助けとなるよう努めるのが、いま哲学に求められる役割だと私は考えている。

古代を読み解く

未来の発見者たち

エウリピデス

三好達治の詩「郷愁」に、「海よ、僕らの使ふ文字では、お前の中に母がゐる。そして母よ、仏蘭西人の言葉では、あなたの中に海がある」という一節がある。漢字の構成とフランス語の綴りの偶然の対照に頼ったこの詩が、危うく通俗の印象を免れているのは、すべての生命がそこから誕生し、そこへと帰っていく海ほど、母の原像として相応しいものはないからであろうか。だが、幼くして養子に出され家庭との縁の薄かったこの詩人にとって、海はどちらかというと安らぎを得られる母胎回帰の象徴であったのに対して、逆にまた、海は生命を奪うもの、試練を与えるものの象徴でもある。

紀元前六世紀の哲学者ヘラクレイトスは、「海は魚にとっては生命を与えるもの、人にとっては生命を奪うもの」と言っている。海に生殺与奪の権能がある以上、善悪は別に、母もまた同様の力を持つと考えるのは自然である。実際、ヘラクレイトスよりやや後の世代の悲劇作家エウリピデスは、その作品『メデア(メデイア)』のなかで、「どのみちこの子らは、死なねばならぬ。それが定めなら、産んだこの私が殺す」という台詞を、主人公メデアに語らせている。

今の黒海北岸、当時のギリシャからすれば地の果てにあった異郷コルキスの王女メデアが、親兄弟を裏切ってイオルコスの王子イアソンと逃避行の末、ようやくコリントスに逃れてきたと思ったら、自分を捨ててその地の王女を娶《めと》ろうとしたイアソンへの復讐に、彼との間にできた二人の息子を殺すというのが、この陰惨な悲劇の粗筋である。だが、これは設定さえ変えれば、どこにでもいそうな嫉妬に駆られた主婦の凶行であったとしても不思議はない。映画『女の叫び』で、メデアを演ずる役作りのため「女優役」のメリナ・メルクーリが取材に訪ねた、エレン・バースティン演ずる女囚がそうであったように。

しかし、二世紀の旅行家パウサニアスの伝える別の「メデア伝説」には、ゼウスの妻ヘーラーの神殿に子供を隠すと、その子は不死身になると信じたメデアの逸話が残されている。もし、この「隠す」儀式が、「殺す母」というイメージに変化したのだとすれば、この話は本来、失われたものを絶えず補給しつづける自然の豊饒さを逆説的に表現するものであったのかもしれない。現在、メデアの悲劇が、陰惨な三面記事の母の姿に重なるとすれば、海をはじめとする自然の豊饒さにも、かつての無限の回復力が陰りを見せ始めているからだろうか。

ヘロドトス

「物語」は通路に似ている。一見何の脈絡もない光景が続くなかに、次第に関連性が現われ、しかも別の方向から辿り直せばまた違った風景が出現する点でも、それは通路に似ている。そのような「通路(パサージュ)」に関心を寄せた歴史哲学者、ヴァルター・ベンヤミンは、「物語作者」という論考のなかで、ヘロドトスの『歴史』からそのような物語の一つを取り上げている。

ペルシャの大王・カンビュセスに敗れたエジプトの王・プサンメニトスは、目の前をゆく水汲みの奴隷の行列のなかに自分の娘を見出しても、ただ目を伏せるだけだった。次に、処刑のために引き立てられる息子を目にしたときも、同じく身じろぎ一つしなかった。ところが、捕虜の行列に、かつて自分の身近に仕えていたみすぼらしい老人の姿を認めると、王は全身をうち震わせて嘆き悲しんだという話である。

この物語についてベンヤミンは、まず「王の悲しみは既に溢れるほど大きかったので、ほんのわずかな悲しみで、堰を切って流れ出した」というモンテーニュの解釈を紹介する。次に紹介しているのは、「王の心を揺さぶるのは、同じ境遇の者よりも、むしろ異なった境遇の者の苦難である」というアリストテレスを下敷きにしたと思われる解釈である。というのも、「あまりに身近な者の不幸は、憐れみよりむしろ恐れを生じ、かえって近すぎない者に憐れみを感ずる」という、この話を念頭に置いた言及がアリストテレスの『弁論術』のなかにあるからである。そして最後に、「堰き止められた大きな悲しみは、ほんのわずかな緊張のゆるみで噴出する」という、ベンヤミン自身の解釈を示している。

「歴史の父」と呼ばれるヘロドトスは、皮肉にもしばしば、真実を目指す歴史家ではなく、聴き手の聞きたいことしか語らない「物語作家」だと非難される。この話の結末も、身内よりも部下の不幸を憐れんだプサンメニトスの態度に感じ入ったカンビュセスが、彼を赦免するというものだが、しかし、物語はそれに付きまとう「教訓」の部分から古びていく。深く聴き手の心に刻み込まれる本当の物語(ヒストリエー)は、説教や扇動、糾弾といった教訓を越え、それを裏切って、その細部において生命を保ち続ける。それゆえこの教訓的な始末を省くことでベンヤミンは、かえってヘロドトスの真意を取り戻すことになったと言えるかもしれない。

あなたならこの物語、どう解釈しますか?

オウィディウス

オードリー・ヘプバーンの代表作ではないかもしれないけれど、彼女のイメージ抜きには考えられないミュージカル映画『マイ・フェア・レディ』が現代のフェミニストのお墨付きを得られそうもない作品であることは明らかだが、それは原作者、バーナード・ショーに大半の責任がある。だがそれ以上に、その原題『ピュグマリオン』が示しているように、この物語がローマの大詩人・オウィディウスの『変身物語』の神話からその題材を得ている結果でもある。キプロスの英雄にして彫刻家のピュグマリオンは、現《うつ》し身の女性の姿や心根の醜さに辟易して、女嫌いを通していたが、ある時、自分の作った象牙の女性像のあまりの出来映えに、その像に恋するようになった。恋心が芽生えると、その像はまるで生きているように見えたし、動きのなさも恥じらいによるものと思われ、触れれば温かみさえ感じるようになった。そして遂に、愛の女神・ウェヌス(ヴィーナス)に、この象牙の女性像を自分の妻とすることを願うまでになった。その願いが聞き届けられたことは、その像に口づけすることで確かめられた。その時、像、いや乙女は、顔を赤らめ彼を見つめたからである。

「自分自身の技によるものであることを、忘れさせるような技の冴え」とオウィディウスは歌っているが、完璧を目指す技術者の境地を言い当てた言葉であろう。というのも、詩人自身、言葉によってさまざまな像を作り出し、そして「変身(メタモルフォーシス)」させているからである。自らの技によって、いわば姿なき心に形を与え、生命を吹き込んでいるのである。それゆえ、「形を与える心」と「心を求める形」が互いに寄り合う姿を、「玩物喪志《がんぶつそうし》」などと余計なお節介を言うべきではないかもしれない。

だが、現代の匠《たくみ》たちは、このような完璧な技術を持たない普通の人々にも、同様の体験を可能にしようとしている。アイボ――それは「愛慕」という語を連想させる――や、パラパラを踊るロボットなど、それに接している人たちの文字通り「形に心を奪われた」姿を見ていると、物に心を感じることによって自ら物と化す、新たな「変身物語」をそこに見出すような思いがする。多分その人たちも、次第にもの足りなくなって、きっと今度は「反抗する人形」を求めるようになるだろう。ちょうど、『マイ・フェア・レディ』で、ヒギンズ教授の操り人形であることに反抗したイライザのような。

そろそろ学年末の試験期間を控え、学生ばかりではなく、答案やレポートを読む教師にとっても、大きな声では言えないが、つらい季節である。そんな課題にプラトンの対話篇を出すと、決まって「徳は知である」とか、「知りながら悪をなすことはない」とかいったソクラテスの発言をそのまま著者プラトンの学説として要約した文章ばかりを読まされ、あげくに以前に書いた自分の解説らしい文章をその中に見出したりすると、つい逆上して、どうしてはじめからソクラテスが正しいと決めて議論するのか、どうしてソクラテスではなく、対話の相手に自分をおいて考えようとしないのか——などと、かつての自分を棚上げにして八つ当たりすることになる。

だが考えてみれば、「対話」というと、新聞や雑誌でよく見かけるように、複雑な内容を質問形式でわかりやすく解きほぐした——と言えば体裁はいいが、多くの場合「水増し」した文体が通り相場だから、無理もないことかもしれない。実際、哲学の歴史においても、バークリやライプニッツなど、対話によって自らの学説をわかりやすく記した作品は、大抵、著者の立場を代弁する人物が相手を論破する単調な構成で、プラトンと比べるのもおこがましい。

敵役が魅力的な芝居は面白いと言われるが、プラトンの対話篇では、ソクラテスばかりでなく、その論敵も精彩ある人物像として描かれている。「正義は力だ」と主張する『ゴルギアス』

のカリクレス、美神・エロース賛美の議論を競う『饗宴』の末尾で、酩酊のあげく乱入してきて、ソクラテスの胸の内にはその醜い風貌にもかかわらず美しい像が秘められていると、議論を引っかき回すアルキビアデスなど、個性豊かな印象的人物には事欠かない。

では、プラトン以降もっとも成功した対話篇は何かと問われれば、躊躇なくヴィトゲンシュタインの『哲学的探究』だと答えたい。でも、この著作は対話形式では書かれていないと反論されるかもしれない。けれど、注意深く読むと、所々に問いかけとそれに対する応答の部分が見出せる。それが誰との対話なのか聞かれた彼の高弟の一人は、「明らかに彼自身だ——彼は自分自身の反論に答え、自分自身の誘惑に抗しているのだ」と述べたという。

今われわれに必要なのは、あれこれの難題を解決してくれるさまざまな学説でも、処方箋でもなく、自分自身の内に手強い論敵を育てることであるように思われる。それも、できるだけ魅力的な……。

プルタルコス

滞在中に起きた、ベルリンの壁崩壊、天安門事件、昭和の終焉といった歴史的事件のせいもあって、今も印象深い英国留学体験のなかでも、とりわけ懐かしいのは、不謹慎かもしれないが、英国の新聞の「死亡記事(オウビチュアリー)」である。

取り上げられる人物の多彩さ、記事の詳しさ、国際性、どれ一つとってもその充実ぶりは、日本の新聞の死亡欄からはとても想像できない。偶然目にしたものでは、日本関係に限っても、昭和天皇はもちろんのこと、大岡昇平や前川春雄・元日銀総裁から、映画『戦場のメリークリスマス』の原作者、ローレンス・ヴァン・デル・ポストと親交のあった森勝衛船長に及ぶといった具合である。

これには英国人の伝記好きという背景がある。人を真に悼むのは、その人物の行動や性格を丹念に記録し業績を正当に評価することによってであるという考えがその根底にある。しかも、それは単に人物の評価だけでなく、その人が生きた時代の評価と次代への指針を必ず伴うものである。

先祖や学派の始祖をもっぱら顕彰するだけの「聖伝」とは異なり、個人の人生をそれ自体として記録し評価する「伝記」を作り出したのは、プルタルコスである。もっとも「伝記」といっても、古代では生没年など、今日なら伝記には不可欠の情報には無頓着で、最も活躍した時期を四十歳(これを盛時《アクメー》と呼ぶ)としておおよその年代を決めるといったように、厳密な歴史的記述よりも、むしろその人の性格と行動における一種の「型」の記述に主眼が置かれている。しかも、ローマ帝政下のギリシャ語作家という特異な位置にあったプルタルコスは、さらに、例えば、アレクサンドロス大王とカエサル(シーザー)、弁論家・デモステネスとキケロといった具合に、ギリシャ人とローマ人の政治家、文人を対比してその生涯を論じる『対比列伝』という新機軸を打ち出した。これによって、伝記に俄然奥行きと幅が生まれた。

ところで、最近出たエドワード七世の伝記は、「待機する王」という副題で、あまりに偉大でしかも長寿であったヴィクトリア女王のもとでの長い皇太子時代、愚行を重ねながらも成熟していったこの英国王の生涯を辿るうち、現在のチャールズ皇太子を連想させる仕掛けになっている。やや小振りながら、このようなプルタルコス的対比は、英国の伝記作家ならお手のもの。翻って、この国で対比されるのは、「平成の高橋是清」だけというのはちょっと寂しい気がする。

アリストテレス

この国にアリストテレス哲学が紹介されたのは、幕末から明治にかけてと思われているかもしれないが、実際にはそれよりはるか以前の一六世紀、フランシスコ・ザビエルに始まるキリスト教の布教活動の一環としてであった。それを具体的に示したイエズス会の学院(コレジオ)における『講義要綱』が、一九九五年にオックスフォード大学で発見された。これはラテン語原文からの和訳であり、その完成は一五九五年とのことだから、奇しくもまさに四百年ぶりにその内容が明らかになったのである。

三部構成の『講義要綱』の第二部は、「アニマの上に付て」と題され、副題は「アリストウテチリスと云《いう》天下無双のヒロウソホの論せし一決の条々〔議論の要約〕」となっている。「ヒロウソホ」とは英語の「フィロソファー」にあたるポルトガル語の音写で、「アリストウテチリス」とちょっと訛《なま》っているのも同じ理由。「天下無双」とくると、まるでアリストテレスが「早乙女主水之介《もんどのすけ》」の見得を切っている感じだが、トマス・アクィナス以来、アリストテレスが定冠詞つきで「哲学者」と呼ばれ、重視されてきた経緯を物語っている。

「アニマの上に付て」という表題は、アリストテレスの著作『魂(プシューケー)について』のラテン語名をさらに和訳したもの。アニマはアニマルやアニメーションの語源ともなっているように、アリストテレスにおいては、栄養摂取、成長や繁殖、知覚や運動、そして知性の働きに至るまで、あらゆる生命活動の原理をなすものである。身体にどうして生命が宿り、さらには意識を持つに至るのかという、今日の生命科学者や脳生理学者にとっても難題である問いを、アリストテレスは「形相(かたち)」と「質料(素材)」の二つの概念を、その用語から作り出すことで解こうとしたのである。

だが、なにしろ当時の日本語には、身体という語もまだなく、「色身」という仏教由来の訳語を借用しているくらいだから、新しい用語は音写するしかなかったのである。それは、ITやDNAなど、現在も事情は違わない。それどころか、「情報技術」や「遺伝子情報」と縁の深い「インフォメーション」という語は、本来、さまざまな対象から取り出し、他の媒体に移し入れる「形(フォルマ)」に由来するものであり、『講義要綱』では、これは「ホルマ」とやはり音写されていた。もし、切支丹禁制がなければ、今ごろ「情報」ではなく、「ホルマの沙汰」とか「次第」とか言っていたかもしれない。

エピクテートス

人生を舞台の上の芝居になぞらえ、自分の運命をそこで演じられる役廻りにたとえるのは、あるいは、シェークスピアの台詞などでお馴染みかもしれない。「世界は舞台、人はみな役者、それぞれに出と入りがあり、一人でさまざまな役を演ずる」という、『お気に召すまま』の台詞は有名である。これは、エリザベス朝やそれ以前のバロック演劇でよく用いられた比喩であり、その背景にはルネサンス以来のストア哲学再評価の影響がある。

「ストイック」という語が「禁欲」や「克己」を意味しているように、ストア哲学は、われわれが人生で経験する苦難を克服するために、感情を抑え、自分自身を突き放して見つめる態度を養うことを重視した。それは、ローマ時代のストア派の哲人・エピクテートスの考えに顕著なように、名誉や地位、財産、健康、美醜などはみな、人の本質に関わりのない、かりそめの出来事に過ぎないと考えるのである。一旦そう諦めてしまえば、たとえ監禁されむち打たれようと、身体を衣服だと思えば痛くも痒くもない——そう主張したエピクテートスは、もともと奴隷の出身だったのである。その彼が、「芝居」の比喩を好んで用いたのも肯《うなず》けることである。

その影響はシェークスピアばかりでなく、同時代の一六世紀末、明代の中国で布教活動を行ったイタリア人宣教師、マテオ・リッチ（漢名・利瑪竇《りまとう》）にまで及んでいる。彼が当時の儒学者を相手にキリスト教の教義を問答形式で論じた『天主実義』のなかに、「人の世間に生くるは、俳優の戯場〔劇場〕に在るが如く、為す所の俗業は、雑劇を搬演するが如し。諸々の帝王、宰官〔大臣〕、士人〔役人〕、奴隷〔……〕皆一時これを粧飾する〔衣装として着る〕のみ」という一節があるが、これはエピクテートスの一文を、彼の意を汲んで漢訳したものである。

もっとも「人生は芝居だ」というこの比喩は、「人生は夢だ」という言い方とともに、従来「だから楽しもう」という刹那的、快楽主義的な使い方をされてきたものが、「だから苦しみを耐えよ」という仕方で転用されたものである。興味深いことに、エピクテートスと並んでローマ時代のストア派を代表する皇帝マルクス・アウレリウスもまた、『自省録』のなかで「芝居」の比喩をよく用いている。まさに利瑪竇の言葉通り、「皇帝」であることも、「奴隷」であることも、まるで彼ら二人のそれぞれに割り当てられた「役柄」だとでも言うように。

ルクレティウス

「エピキュリアン」と言えば、現代では、単なる快楽主義の代名詞となってしまっているが、本来の「エピクロス主義者」は、過度の欲望を避け、自然にかなった必要な欲求を充足し、その反対の苦痛を取り除くことを通して、「心の平安(アタラクシアー)」の実現を目指していた。「充たされないのは、多くの人が言うように胃袋ではなく、それを際限なく充たす必要があるという胃袋についての誤った考えである」とエピクロス自身述べているように、心の平安を乱すのは、欲望そのものではなく、欲望が無際限だとする考え方である。同様に、心の平安を乱すのは、死そのものではなく、無際限の生を求める誤った願望から生ずる「死への恐れ」だとエピクロスは言う。

ローマ時代の詩人・ルクレティウスの『物の本性について』は、散逸してしまったエピクロスの著作に代わって、彼の逆説的な議論を最もまとまった形で保存している。それによれば、古代の原子論をその世界観の基礎においたエピクロスは、死はただ原子の配置の変更に過ぎず、しかも精神も身体もともに物質である以上、自分自身の死に立ち会うことはできず、「死はわれわれにとって何ものでもない」というのである。

しかし、それではあまりにも、死の捉え方が狭すぎると思われよう。残された者にとってだけでなく、当人にとっても、もっと生きていれば実現できたかもしれないさまざまな可能性が失われたのだし、今まで築いてきた成果や人間関係も、突然断ち切られたではないか。だが、そのような反論を見越したかのようにルクレティウスは言う——死は常に突然であり、生にそのような終極がなければ、そもそも可能性ということに意味がなくなり、したがってまた、さまざまな可能性のなかから何かを選び出して完成するということにも意味がなくなる、と。

最近立て続けに起きた不幸な事故のたびに、このルクレティウスの議論が思い出されて、落ち着かない気分になる。というのも、死という限界が生に意味を与えるのだとしても、若くして生を終えた者も、多くの歳月を経て死ぬ者より、短い時を過ごしたのではないというのが彼の主張だとすれば、簡単には肯けないからである。「死なれる」という言い方は、日本語に特有の被害を表す受け身表現だと聞いたことがあるが、身近な人の死は、自分の一部をもぎ取られるような悲しみを与える。死は死者の上にのみ起こった出来事ではないからである。

ソクラテス

病と健康はものの見方を交差させるもののようである。「白梅に明《あく》る夜ばかりとなりにけり」という蕪村の辞世の句が、芭蕉の有名な辞世「旅に病《やん》で夢は枯野をかけ廻《めぐ》る」を強く意識して作られたものであるという説を聞くと、平生病気のことを頻りに文面にしたためていた蕪村の句の「晴朗」と、晩年に持病云々の記述が集中している分、普段の健康が察せられる芭蕉の句の「愁色」との対照はますます鮮やかである。

ソクラテスの「辞世の句」ならぬ「末期の言葉」は、「クリトンよ、われわれはアスクレピオスに雄鶏一羽の借りがある。くれぐれも、お返しを怠りなく」と、『パイドン』に記されている。いたってさりげない言葉だが、その分、史実に即したものと一部には受け取られている。だが、作者プラトンが、よりによってソクラテスの「最期」に選んだ言葉に、何か込められた意味がないはずはない。

実際、ニーチェは本能的な反発によって、この言葉のうちに、ソクラテスの厭世家《えんせいか》（ペシミスト）としての本質を嗅ぎ取った。というのも、ソクラテスにとって「生」はそれ自体一種の病であり、「死」は肉体という牢獄に閉じ込められた魂の解放・治癒であって、医術の守護神・アスクレピオスに雄鶏を犠牲に捧げるのはそのお礼のためだと、彼は解するのだが、ここにも健康と病の交差がある。

皮肉なことに、寒い戦場でも裸足のまま何時間も耐え抜いたという強壮なソクラテスと対照的に、若い頃から病気がちだったニーチェは、あちこちで「病」の比喩を多用している。例えば、病気で医者にかかっているときの方が、自分自身で健康に気を配っているときよりも、診断された病だけに気を取られて、むしろ不養生になるとニーチェは言う。健康な者より病弱な者の方が、かえって肉体に顧慮するように、道徳家は道徳的欠陥や罪の意識にのみ目を奪われて全体としての健康な価値に無頓着である。かえって、反道徳家の方が晴朗な健全さにより親しいというのである。

ソクラテスの「末期の言葉」に登場した雄鶏は、再び意外なところに姿を現わす。「鶏が鳴く前に三度、私を知らないと言うだろう」と、ペテロの背信の罪を予告するイエスの言葉である。当代随一の批評家、ジョージ・スタイナーが指摘しているように、ニーチェは、魂の病を癒すソクラテスが人々の罪を救済するイエスを先取りすると考えたが、それを象徴するものとして、この雄鶏を見逃さなかったのもやはり彼の病者の眼である。

ドラーマとパトス——悲劇と哲学との関わりをめぐって

I 「ドラーマ」と悲劇の起源

避けられない災悪

人生には、しばしばわれわれの意のままにならないことが起こる——災害や戦争、病気や老化、あるいは身体の毀損・美醜、人間関係の軋轢や事業の浮沈、こう挙げてくると、「しばしば」ではなく「つねに」と訂正しなければならないように思えてくる。けれども、同時に、そのような不如意にもかかわらず、生きることを放棄しないのは、それらを回避したり、緩和したり、遅らせたりする手だてがわれわれに残されている、と少なくとも考えることができる限りにおいてである(われわれの——個人としてであれ、集団としてであれ——今日までの生存は、単なる幸運に留まらない、われわれ自身の理性的な対処に、そのすべてではないにせよ、多くの部分を負っていると考えるのでなければ、全体としてわれわれの営みはその意味を失うであろう)。だが、時としてそのような手だてが見出せない場合(ギリシャ人は、そのような

「手だて(mechane)のなさ」を、amechania と呼んだ)、われわれはどのように振る舞うであろうか。多くの場合、そのような災悪は他者に起こるとわれわれは考えて、日常を糊塗している。だが、それが一旦自分の身に起こるとき、そのような境遇を恨み、他者にその責任を帰し、それがかなわぬときは、自分自身のうちにその原因を求めて、自責や悔恨の念にあがき苦しむのではないだろうか。だが、他人にも、また自分にも、全く何の落ち度もないのに生じた災悪に、われわれはどう振る舞うであろうか。自らの理不尽な境遇を呪い、悲嘆に身を委ねるしかないのであろうか。それとも、そのような災悪によって失われるもの(身体の健康、肉親や友人、財産や名誉といった事柄)は、人生にとっては付随的な外的な善であって、そもそもそのようなものに拘泥すべきではないというような、一種虚勢的な矜持をそれでもなお保ちうるであろうか。

道徳的運

このように考えるとき、偶運(tyche)に左右される人間の境涯に対して示された、ギリシャ悲劇における鋭敏な感受性と、そのような偶運を人間的領域からできる限り排除して、道徳的な自律性の領域を確保しようとした同時代の哲学の態度との対照は、印象的なまでに鮮やかであるように思える。このことを、バーナード・ウィリアムズは、「ギリシャ世界の倫理的経験には、今日のわれわれにとっても意味を持ち得るだけでなく、われわれがより身近に手にしうる多くのものより、より意味深い諸特徴が具わっているとすれば、それは哲学の領域で見出されるものの範囲には収まらない。このことは、西欧の哲学がその射程、威力、想像力、創意といった基礎をギリシャに仰いでいることを考え合わせるなら、いまさらながらに瞠目すべきことであるが、「ギリシャ人の最大の特徴のうちには、彼らがその最良のものを反省にもたらすことに不得手であるということが含まれる」というニーチェの指摘を真剣に受け取る余地が、当然のことながら、われわれにはある」という言い方で表現している。[1] そのような哲学に収容されない領域、つまりギリシャの文学作品、とりわけ悲劇における洞察を、彼はその倫理的考察において、「道徳における偶運(Moral Luck)」という主題として提示した。[2]

自分がした覚えのないことによって被った受難——ソフォクレスの『コロノスのオイディプス』で、「私がそれをしたのではない(ouk erexa)」(539)とオイディプスが語る場面を、ウィリアムズはそこで言及しているが、おそらくその際、同時に彼の念頭を掠《かす》めていたのは、『悲劇の誕生』における次の一節ではなかったろうか。

極度の悲惨に見舞われてきた老人、襲いかかるすべての出来事に、忍従・受身の人の姿勢をとりつつ身を委ねてきた老人、地上のその彼の前に、神々の国に発するこの世ならぬ晴朗の気が立ち渡って、主人公の変身ぶりを暗示する。すなわち、かつての努力精進によって彼はただ受動的立場に追い込まれたにもかかわらず、今の彼は全くの受動的姿勢をとりながら、生涯を越えて未来にまでも及ぶ能動的威力をかち得ているのである。

(『悲劇の誕生』第九章)

このような極度の悲惨を経た一種諦念にも似た「ギリシャ的晴朗」とは違って、日常われわれの経験するような小悲劇においては、自責や後悔の念から逃れることはできない。自分には全く責任がないと考える、例えば交通事故や医療災害に巻き込まれた人が、自責や後悔の念に駆られるのは、自己の制御可能な範囲に責任を限定する(広い意味での)カント的な倫理的思考からすれば、全く不合理なことである。このような、意図において全く咎《とが》のない人の感ずる後悔が行為者の側での感情的反応であるとすれば、それに対応する第三者の評価は、非難ではなく、寛大さ(syngnome)と憐れみ(eleos)であろう(『ニコマコス倫理学』III. 1. 1109b32, 1111a1-2)。

受難としての〈ドラーマ〉

「〈ドラーマ(drama)〉は行為か?」などとこと改めて問いただそうとすれば、アリストテレスは「劇作家は行為する(prattein)さまを模倣・再現するのであり、そこから、ある人々によれば、そのような行為の描写が〈ドラーマ(drama)〉と呼ばれるのだと説明される。というのも、振る舞い(dran)のさまが模倣・再現されるからだ、というわけである」(『詩学』3. 1448a27-29)と明確に述べているではないかという反論を受けそうである。しかし、ドーリア方言に由来する

（と同じ箇所でアリストテレス自身報告している）この語の本来の意味は、必ずしも明らかではない。この「ドラーマ」という語の意義をめぐっては、ニーチェがあれほどまでに心酔していたワーグナーから離反するにあたって、次のような興味深い一文を残しているのが思い合わされる。

〈ドラーマ〉の語が常に「行為（Handlung）」と訳されてきたのは、美学にとって真実不幸なことであった。この点で誤っているのは何もワーグナーばかりでなく、より事情に通じているはずの文献学者たちを含めて、誰もが依然として誤解したままなのである。古代のドラーマは大いなる〈パトス的場面（Pathosscenen）〉を彷彿させるものであった――それはまさしく行為を（劇の始まる前に、もしくはその場面の背後に移すことで）排除するものであった。ドラーマという語はドーリア起源であり、ドーリア方言の語法では、ともに神聖的な意味での「出来事（Ereigniss）」もしくは「事件（Geschichte）」を意味している。最古のドラーマは土地の伝説、つまり祭祀の縁起の由来である「聖なる出来事」を叙述したものである（――それゆえ、「行為（Thun）」ではなく、「出来事（Geschehen）」であって、「ドラーン（dran）」は、ドーリア方言では決して「行為する」を意味しない）。

（『ワーグナーの場合』第九節原註）

果たして、この一文が主張するように、ドーリア方言で「ドラーマ」の本《もと》となる動詞「ドラーン」が、「出来事」を意味するものであるかどうかは、必ずしも明確な証拠があるわけではない。[3] それればかりか、彼の前著『悲劇の誕生』では「自分自身の姿が変容するのをまのあたりに見、いまや他人の肉体、他者の性格のなかに実際に乗り移ったかのように行動すること、これがドラーマの原現象である」と声高に語られていたこととも、明らかに背馳するように思われる。それは、ワーグナーが『トリスタンとイゾルデ』の出版にあたって、従来の「オペラ」ではなく、「行為(Handlung)」という名で呼んだことを、念頭に置いてこの文書が書かれていることと関係している。[4] だがそれ以外にも、能動的な「行為」という考えに含まれている、人間の不遜な支配的野望(それを彼は、ワーグナーのうちに敏感に嗅ぎ取っていた)によって、悲劇を捉えることはできず、出来事という一見受動的な状態(pathos)のうちに、あるいは徹底した受動性のうちに、かえって人間の条件としての情動性の解明を通して、その真に自由で自立的な境涯が垣間見られるのではないかという期待が、表明されているように思われる。

II　古典期における悲劇と哲学

英雄は泣く

西欧の文芸において、男は泣かないものと相場が決まっているという。これに対して、本朝では、『古事記』において「八拳《やつか》ひげ心前《むなさき》に至るまで啼きいさちき」と言われているスサノヲを始めとして、『懐風藻』では、咎なくして流された配所で見る月がいくら風雅でも、やはり道真は泣いたし、『源氏』では、光の君を始め、行平も、良清も、惟光も皆泣くのであり、『伊勢物語』では業平がやはり泣く、『平家』でも、対抗するわけではないが、俊寛が、維盛が、また後白河院も、敦盛を討った熊谷直実も——要するに、「源氏も平家も、帝王も貴族も武士も僧侶も、みんな泣く」のである(丸谷才一「男泣きについての文学論」『みみずくの夢』(一九八五)所収)。ただし西欧といっても、この場合、古代は例外らしく、英雄たちは実に盛大に泣く。アガメムノンは戦勝祈願の生贄として娘イフィゲネイアを差し出さねばならないことを嘆いて泣く(『アガメムノン』201-204)、アキレウスも親友パトロクロスの死を悼んで泣く、敵の老王プリアモスも息子ヘクトールのことを思って泣く、あるいはオデュッセウスも故郷イタケへと直行できぬことを知って部下たちと共に涙を流すし(『オデュッセイア』X. 566-574)、デモドコスの唱う敵方トロイアの陥落の物語にさえ秘かに落涙する(同VIII. 521-531)。また、オイディプスが自らの来歴の真実を知って、その妻にして母の胸飾りのピンで自らの眼を刺して流す血は、極めて壮絶な落涙と見ることもできよう(『オイディプス王』1268-74)。泣くのは、何も英雄ばかりではない、神々のなかの神・ゼウスも、涙こそ流さぬものの、悲嘆にくれる(『イリアス』XXII. 168-169)。まして、神ならぬ馬ならば、アキレウスの馭者でもあったパトロクロスを悼んで泣いたからといって(同XVII. 424-440)、驚くにはあたらないだろう。要するに、神々も王者も英雄も、そして馬までも――ちょうど、どうしようもなくなったとき子供が手放しで泣くように――泣くのである。この点では、本朝と同じく「英雄は臆面もなく泣くことで英雄になる」と言えそうである。

弁論家・プリアモス

このなかでも、アキレウスとプリアモスという、敵同士が手を取り合って泣く場面は圧巻である(『イリアス』XXIV. 507–551)。まず初めに、息子ヘクトールを討たれた老プリアモスは、討ったアキレウスにその父ペレウスのことを持ち出す――自分と同じ老境にあるペレウスに言及することで、もし仮にヘクトールがアキレウスを逆に討っていたならば、あるいはペレウスが今の自分と同じような悲嘆を味わわねばならなかったかもしれないという可能性を示唆する。「アキレウスよ、神々を畏れ、父君を思い出して、私を憐れんでくれ。しかも、私は父君より一層哀れな身」(同 XXIV. 503–504)と呼びかけているのは、言うまでもなく、ヘクトールの亡骸を受け取るためである。そしてこの言葉は、もしかしたらアキレウス自身がヘクトールであり、従ってまた、このプリアモスがペレウスであるかもしれないことを告げている。実際、アキレウスはこの言葉によって、父を案ずる気持ち(goos, 同 XXIV. 507)を掻きたてられ、父に降りかかったかもしれない災悪を思い、それをプリアモスへの憐れみ(oiktiron, 同 XXIV. 516)へと転化する――こうして見てくると、この箇所は「恐れと憐れみ」という、アリストテレスの有名な悲劇の定義に含まれた感情の働きを自ずから想起させる。そればかりか、『弁論術』第二巻八章における「憐れみ」の分析をも併せて想起させる。しかも、それはまた、『国家』において、プラトンが人々を堕落させる悲劇の感情喚起的側面として、まさに言及していた箇所とも深い連関を持っている(Cf.『国家』III. 388a)。

ソクラテスは泣かない

このように見てくると、プラトンの描いたソクラテス像が、以上のような悲劇の英雄像といかに対極的なものであるかということが理解される。というのも、ソクラテスは泣かない――そして単に泣かないだけでなく、他者から憐れみを受けることを潔しとしない姿勢に貫かれている。例えば、『饗宴』の有名な一節(『饗宴』219e–221c)では、ポテイダイアの戦闘に参加した際のソクラテスの様子がアルキビアデスによって語られているが、それによると彼が金銭や飲食・飲酒に関していかに節制を保ち、寒さや戦闘においていかに忍耐強かったか、そして何よりも死を恐れなかったということが称賛されている。それだけではない、『弁明』では、当時のアテナイで通常なされていたような、訴訟を有利に運ぶために、子供や家族友人を多く連れ出して、愁訴哀願するといった――憐れみを誘う一切のことが拒絶されている(『弁明』34b–35d)。そして、それと同時に、ソクラテスを悲劇の主人公に擬《なぞら》えているかのような言及がしばしばなされているが(同28b–30b,『パイドン』115a,『饗宴』220c, 221c)、これは明らかに著者プラトンの側での、新たな悲劇の英雄(もしくは、反・英雄)像を打ち出そうとする意気込みを窺わせる材料である。実際、『弁明』『クリトン』『パイドン』を、共観福音書に擬える意見もあるが(ロマーノ・グァルディーニ)、むしろそれより悲劇(あるいは、反・悲劇)の三部作と見る見方の方が、はるかに著者の企図するところに近いのではあるまいか。

悲劇批判

意外に思われるかもしれないが、初期から中期にかけてのプラトンの対話篇において一貫して保たれているこのようなソクラテス像が、『国家』における詩、とりわけ悲劇批判と密接に関連していたように思われる。なるほど、『国家』第一〇巻における「詩人追放論」は、模倣(ミーメーシス)としての詩は、いわば絵画のように、イデアを原型とする「写しの写し」として、真実の存在から隔たること三番目の位置にあるという、存在論的な観点からの批判に基づくものであったが、同時にまた、詩の持つ教化的機能に関連して、とりわけ文芸における感情・情操の役割に注目するものでもあった。その中心をなすのが「憐れみ(eleos もしくは oiktos)」の感情である。というのも、プラトンは『国家』第一〇巻の一節で、次のように述べていたからである。

他者の事柄から享受したものは、必ずや自分自身の事柄にも及ぶということに思い至ることのできるのは、思うに、ほんの一握りの人間だけである。実際、憐れみを他の人々の事柄において強く育てた上は、自分自身の苦難にあたってそれを抑えるのは容易なことではないからである。

（『国家』X. 606b5–8）

この箇所では、自己憐憫という、自律的な道徳的主体の確立にとっては——少なくともプラトンの目から見て、最も——有害な感情を帰結するものとしての、他者への憐れみの感情の影響が問題とされ、それへの無拘束な傾斜が批判の標的とされている。やや通俗的な言い方をすれば、困難な場面で自分自身を甘やかし放恣な悲嘆に耽るのを防ぐためにも、他人に起こった不幸に同情してはならないと、プラトンは主張しているのである。

この『国家』第一〇巻の箇所では、「憐れみ」だけに言及されていて、「恐れ」との関連は見えにくいが、これとちょうど対応する内容を持った第三巻は、次のような「恐れ」への言及を含んでいる。

そのような〔立派な〕人物は、彼に〔たとえ死が訪れたとしても〕何か恐ろしいことが起こったかのように、かの友のために嘆いたりはしないものだ。〔……〕とりわけそのような人物こそ、よく生きるということに関して自分自身で自足した状態（autarkes）にあって、他の誰よりも抜きん出た仕方で、他者に頼むところが最も少ない。

（同 III. 387d8–e1）

つまり、恐れるべき何ものもない以上、憐れみを持つこともないと言っているように思われる。ここで「自足している」と言われているのは、「善き人は決して害されない」(『弁明』41d1-3, cf. 30c9-d1)という意味での道徳的な自足性である。というのも、子供や兄弟といった係累や財産や名誉といった外的な善を失ったとしても、魂の善ささえ保つならば、「そもそも人の世に起こる何事も、真剣な関心に値するものは何もない」(『国家』X. 604b12-c1)とされているからである。これは、先のソクラテス像にぴったり当てはまる記述である。

悲劇と弁論術

実はこのようなプラトンの悲劇批判は、弁論術の創始者とも言われるゴルギアスの『ヘレネー頌』(第九節)の、次のような一節に対する批判をも内含しているように思われる。

> 恐れによる身震い、涙を誘う憐れみ、身もだえする嘆きが、詩を聴く者たちのうちに入り込む。他の人々の営みと身の上に起こる幸運と不運を語る言葉を通して、心はそれが何か自分自身の身の上に起こったもの(pathema)であるかのように体験する。

実際、この箇所で言われていることと、先の『イリアス』におけるプリアモスの言葉との関連は明白であり、それは後者が叙事詩のなかでも特に悲劇的要素を色濃く示していると同時に、弁論術的要素をも顕著に持っていることの証左である。

とすれば、アリストテレスの『弁論術』において、「恐れ」と「憐れみ」(もしくは「痛ましさ」「労《いたわ》しさ」)の両者が、極めて緊密な形で結びつけられているのは、むしろ当然のことである。というのも、「恐れ」に関して、「端的に言えば、恐ろしいものとは、他人に生じている、もしくは生じようとしていることが、憐れみを感じさせるものである」(『弁論術』II. 5. 1382b26–27)と述べられている一方で、「憐れみ」に関しては、「ここでもまた、一般的なことを確認しなければならないとすれば」と、この「恐れ」に関する箇所を念頭に置きながら、「自分に生ずれば恐ろしいと思うようなことが、他人に生じた場合、人々は憐れみを感ずる」(同 II. 8. 1386a27–28)と述べているからである。さらに、「憐れみ」の定義は次のようなものであるが――

> 憐れみとは、そのような目に遭うはずのない人に降りかかる、破滅的な、もしくは痛みをもたらす、悪として現われるものに対して感ずる一種の苦痛であり、しかも自分自身、もしくは自分に親しい者のうちの誰かが、同じ目に遭うことが予想され、しかもなお、それが近い将来に生じるように思われる場合に感じるものであるとしておこう。
>
> (同 II. 8. 1385b13–16)

この定義からすると、先の『イリアス』の箇所で、プリアモスがペレウスのことを持ち出したのは、まさにアキレウスにとっての「親しい者」だったからであり、その「親しい者」（ペレウス）に、プリアモスに起こった息子（ヘクトール）の死と同様の痛みをもたらす悪（つまり、アキレウスの死）――この場合アキレウスにとっては、「自分自身」の破滅的悪――を予想させることで、憐れみを引き出したのだと、説明できよう。

因みに、ここで憐れみの対象となる事柄としては、様々な形の死、身体の損傷、老い、病、食料の欠乏といった破壊的・毀損的な災悪と、友を持たなかったり、僅かであったり、容姿の醜さや身体の虚弱・障害などといった偶然的な災悪が挙げられている（同 II. 8. 1386a7–11）。そして、先に『国家』で「そもそも人の世に起こる何事も、真剣な関心に値するものは何もない」（『国家』X. 604b12–c1）と言われていたことを額面通りに受け取るならば、これらをすべて魂にとっては非本質的な外的な善であると見なして、それらの毀損を恐れないだけでなく、それが他者に起こってもそれを憐れむ理由もないと考えるのが、少なくとも、ソクラテス的な「自足的な」道徳的英雄だということになる。先にも述べたように、困難な場面で自分自身を甘やかし放恣な悲嘆に耽るのを防ぐためにも、他人に起こった不幸に同情してはならないというのが、プラトンの主張だとすれば、少なくとも、以上の『弁論術』の記述から窺われるアリストテレスの考えは、他人にも起こるかもしれない不幸や困難に適切な憐れみを感じうるのは、自分自身に降りかかりそうな困難に真っ当な恐れを感じうる者だという主張であるように思われる。

これは、マーサ・ヌスバウムも指摘しているように、[6] 悲劇の人間観を再び哲学的思考のうちに回復・回収しようとする試みであるように思われる。

悲劇の定義

ここに、周知の、しかも多くの論争の的となってきた、アリストテレスによる悲劇の定義がある。

> 悲劇(tragodia)とは、厳粛な、一定の大きさをもって完結している、行為の描写(mimesis)であり、快い調子を帯びた言葉が作品の部分に応じて各々の種類の様式で使い分けられたものであり、人物が実際に行為する形で、報告的な描写によるのではなく、憐れみ(eleos)と恐れ(phobos)を通して、そのような苦難(pathema)の解明(katharsis)を遂行するものである。
>
> (『詩学』6. 1449b24-28)

この翻訳には、それ自体すでに多くの解釈が含まれている(そして、それらの事項への立ち入った考証は、今回は保留せざるを得ない)が、[7] 少なくとも、「憐れみ」と「恐れ」の二つの感情に関して、以上の考察から、それらが従来考えられてきたような並列的な関係にあるのではなく、自他の別を内含した力動的な関係にあると考えられる。だが、同時に、この箇所が、しばしば指摘されるようなプラトンの詩人追放論――とりわけその悲劇批判――に対する直截的な反批判を目指すものであるかどうかということに関しては、慎重な考察を要するように思われる[8]。というのも、ここでアリストテレスは、悲劇の持つ道徳的効用ということに関しては何も述べておらず、その心理的な背景に言及しているだけだからである。言い換えれば、プラトンが、他者への憐れみは自己憐憫をもたらし、最終的には自己の欲求的要素に引きずられる危険性を指摘しているのに対して、アリストテレスは、このような「恐れ」と「憐れみ」の自他における相関性を語る際、それを、規範的な事態としてではなく、一般的な経験として語っているように思われるからである。

「他人の災悪を自らのことと感じる」

だが、それはプラトンに対する批判を全く含まないというのではない。というのも、そこには基本的に「他人の災悪を自らのことと感じる」という人間関係の基盤への言及が、内含されているからである。そのためには、自己自身の身体はもちろん、肉親や友人、適切な名誉や過不足ない財産などの外的善が、当然のことながらそれらの人間関係の条件として必要とされる。それは、先の「道徳的自足性」を全く否定するものではないが、少なくともその偏狭さを指摘するものとはなっている。さらに、そのような人間関係を、さらにその外から脅かす偶然的な災悪への顧慮も含まれている。というより悲劇こそ、そのような偶然的で、しかも破滅的な要素の解明に資するものだからである。その意味で、われわれは、それらの悲劇作品を見ることによって、われわれ自身の内に「オイディプス」や「メデア」を見出すのである。オイディプスやメデアといった個々の役柄に思慮深さや奸智といったそれぞれの性格が付与されているのではなく、いわばそれらの役柄はそれ自体が性格そのもの、裸形の性格なのである。「他人の災悪を自らのことと感じる」ことの訓練なのである。しかし、このような演劇の持つ同化作用こそ、確かに、プラトンが自ら建設しようとするポリスから詩人とその作品を追放しようとした理由の最大のものであったのである。その限りでは、先の悲劇の定義は、プラトンの悲劇批判に対する(ただし、依然として間接的な)反批判となっているように思われる。

III　ヘレニズム・ローマ期における悲劇と哲学

演劇の比喩

古代において世界を舞台に擬え、そこにおける芝居の演技として人生を見る観方は広く流布しているが、とりわけストア派の哲学者の間で、そのような比喩が好んで用いられた。たとえば、ストア派の創始者・キティオンのゼノンの弟子で、師を批判して比較的早くストア派の主流的見解からはずれることになった、キオスのアリストンは、「徳と悪徳との中間にあるものに対しては、無関心な態度で生きることが目的であると主張し、それらの中間的なものにはいかなる差異も認められず、従ってそれらのすべてに平等な態度をとるべきであるとした。というのも、賢者は優れた役者に似ており、優れた役者なら、〔野卑な〕テルシテスの役でも、〔大将の〕アガメムノンの役でも、それにふさわしい仕方で演じることができるであろうから、というものであった」(ディオゲネス・ラエルティオス『ギリシア哲学者列伝』第七巻一六〇節)と述べていたことが報告されている。また、ローマのストア派の哲人皇帝・マルクス・アウレリウスにも、「僭主でもなく、不正な裁判官でもなく、そもそもここに初めに君をもたらした自然によって、この都市から追放されるとしても、何の恐るべきことがあろう。それはあたかも役者を雇った執政官が、彼を舞台から解雇するのに似ている。「でも、五幕を演じていません、まだ三幕に過ぎません」と抗弁するかもしれない――よろしい。だが、人生においては、三幕でも劇は完結するのだ」(『自省録』第一二章三六節)とか、あるいは「悲劇とはそもそも、人生における出来事を人々に思い出させるために演じられたものであった。そして、然々《しかじか》の出来事は然々の仕方で自然に起こるということを示すことで、舞台上で演じられることが諸君を魅了するからには、同じ事柄がより大きな舞台上で起こったとしても、これを苦にしないよう考えさせるためであった」(同第一一章六節)という言い方が見られる。

エピクテートスにおける演劇の比喩と仮定法

さらに、エピクテートスにも演劇の比喩が多く見られる。[9] ただし、それはストア派の哲学者らしく、論理的な基礎づけを伴ったものである。すなわち、「仮定法（条件法）」によるものである。アキレウスであるとしよう、オイディプスであるとしよう――それと同じように、われわれもそれぞれの人生の役割を演じているというのである。よく知られているようにエピクテートスは解放奴隷である。そして、マルクス・アウレリウスは言うまでもなく皇帝である。このように見てくると、彼らがそれぞれの立場における苦難を、自らに割り振られた役柄だと自分自身に言い聞かせて、日々を過ごしていたと想定することは、さほど困難なことではない。

ただし、無条件的に善である徳と無条件的に悪である悪徳と、善悪無記なそれらの中間者という先のアリストンの分類とは違って、エピクテートスにおいては、善悪はすべて「意志（proairesis）」のうちにおいて決定されることであるという点で、演劇の比喩はある意味で、すでに単なる比喩を超えるものとなった。というのも、実生活上の行為すら、すべてが仮定に基づいた演技であるような思考のもとで、行為者が真に支配できる内面の領域として、意志はそれ自体独立した能力として、自立的な活動を求められるようになるからである。

伝ロンギノス『崇高論』

このようなストア派の考えを、文芸面で表明していると思われるのは、伝ロンギノスの『崇高論』である。そこでは、崇高さと感情とが同一のものであって、常に両者が関連し合って展開しているとする考えを批判して、「憐れみ、悲哀、恐れといった、ある種の感情は、崇高さとは無縁な、低俗的なものであると認められる」(『崇高論』9.2)と述べている。[10] だがもしそうだとすれば、アリストテレスが悲劇にとって枢要であると考えてきた、そしてそれはある意味でホメロス以来、悲劇的なるものの核心であったのだが、そのような伝統的な悲劇的感情である「憐れみ」と「恐れ」を排除することは、悲劇そのものの死を意味するのではないだろうか。

ここでは「ある種の感情」と限定されているが、少なくとも、ストア派の正統的な立場においては、感情は基本的に衝動に対する同意に基づいた認知的なものであり、それは本来、心の中心的部分に統御された理性的なものであるが、それが虚偽の判断に基づいて何らかの形で暴走するとき、特に「感情」として自然に反したものとなる。従って、後者の意味での「感情」は、本質的に病的なものであり、キケロが、ギリシャ語の pathos をラテン語に翻訳する際、ストア主義の立場により忠実に「病(morbus)」と訳したかったが、憐れみや悲しみの感情をすべて病的なものとするのは不自然なので、「心の動揺(perturbationes animi)」という表現を採用したと、自分自身回顧しているくらいである(『善と悪の究極について』III.35)。そして、特に憐れみに関しては、ディオゲネス・ラエルティオス『ギリシア哲学者列伝』に、次のような記述を見出すことができる。[11]

また、賢者は害を被ることのないものである。なぜなら、彼は他人をも自分をも害することはないからである。したがって、彼らは憐れみ深く(eleemon)も、何人にも寛大(syngnome）であることもない。というのも、彼らは法に基づいて課せられる懲罰を見送るようなことはしないからであり、実際、譲歩したり憐れみをかけたりすることは、否、時宜に適った処置をとることさえ、懲らしめることをせず、ただ親切ぶっているだけの、精神の無力さを示すものに過ぎないからである。

（『ギリシア哲学者列伝』第七巻一二三節）

ここで「賢者は害を被らない」と言われていることは、先に検討したソクラテスの自足的な道徳観を連想させる。そして、実際、ストア派はそのようなソクラテスの主知主義的立場を範としているのである。だが、このような文字通りの克己的な立場は、次第に自己の感情を異化する方向へと転調していくこととなる。先ほどの、伝ロンギノスを再び引けば、この著者は、崇高を体現した作家として、サッフォーを称賛しているが、その際「彼女は様々な感情をすべて失い、まるで他者のもののように、それらを求める」（『崇高論』10.3）と述べている。これが、実際のサッフォーの理解として正しいかどうかは判断できないが、少なくとも、ヘレニズム・ローマ期の文芸理論としては、極めて的確な指摘であるように思われる。

「自らの災悪を他人のことと感じる」

こうして、他者への憐れみの基底に、他者の災悪を自らのそれとして恐れることが伏在することから、結局のところ、憐れみは自分自身の利己的な観点からなされる感情的固着に過ぎないという非難がなされることになった。だが、このような非難は、他者への憐れみを放棄するだけでなく、自らの悲惨を顧慮しない態度を求める。それは、先ほどの「他者の災悪を自らのそれとして恐れる」という態度に精確に対応して、「自らの災悪を他者のものと見なして恐れない」という態度をつくり出すことになる。古典期の悲劇からヘレニズム・ローマ期の悲劇への移行は、まさしくこのような態度の変更に符合するものであった。その背景として、演劇そのものの社会的位置という問題があることは明らかである。というのも、古典期には(一部に職業的な俳優や演出家の誕生が見られるとしても)基本的には、市民全体の事業として悲劇の上演は遂行されたのに対して、ローマ期においては、同じく公共性を持つとはいえ、完全な職業的な上演集団によって演じられたからである。おまけに、全く上演を予想しない朗読劇としても、悲劇は創作された。

二つの『メデア』

その意味でも、エウリピデスとセネカのそれぞれの『メデア』の比較は重要である。とりわけ、エウリピデスの『メデア(メデイア)』のコロス(合唱隊)が、コリントスの女性たちで構成されていたことは重要である[12]。というのも、エウリピデスは、コリントスの男性市民や、あるいはコルキスの非ギリシャ系のメデアの同胞たちをコロスとすることも可能であったからである。言い換えれば、コロスとしてコリントスの市民たちの妻や母をエウリピデスが選んだということは、コリントス人という点ではイアソンに近しい立場にありながら、妻や母という点ではメデアと連帯して、イアソンを糾弾しうるコロスの立場を敢えて設定したということである(実際、メデアも彼女たちに「われわれ女は」とか、(女性形で)「私の友人たち」と呼びかけることができた)。ところが、セネカの『メデア』においては、同じくコロスにはコリントスの女たちが設定されているが、そのような位置取りにもかかわらず、単調なメデア糾弾を繰り返すだけに終わっている。「メデア、メデア、ひとたび怒ればおまえは憤怒を抑えられない。ひとたび愛すればその激情を抑えられない。その怒りとその愛が、今は一つとなって進んで行く。どうなるというのだろう？　いつになったらおぞましいコルキス女が、ギリシアの土地から退散して、王国と王家との方々を恐怖から解放してくれるのだろう?」(『メデア』866-873, 小林標訳)といった調子である。それはメデアの孤立を浮き彫りにはするが、劇中における観客の共感の共鳴板ともいうべきコロスがこのような状態では、観客は劇に自らを投入することはできない。そして、それはある意味で、セネカの作劇の意図に含まれているものなのである。

このような意味で、全く「憐れみ」という観客の側での感情移入を許さない、新たな悲劇(あるいは反・悲劇)が、セネカによって生み出された。メデアは、その意味では、ソクラテス的な英雄(あるいは、再び、反・英雄)であったと言えるだろう。ただし、それがプラトンの許容するような悲劇であるかどうかは、極めて疑わしいが……。

ニーチェのストア主義

ニーチェが口を極めて「同情（Mitleid）」を攻撃していることは、よく知られていると思われるが、これはそのようなセネカのストア主義の顕著な影響下にある。[13] 今はそのやや長い引用で、仮の結びとしよう。

他人の不幸は、われわれの感情を害する。われわれがそれを助けようとしないなら、それはわれわれの無力を、ことによるとわれわれの怯懦《きょうだ》を確認させるであろう。言い換えると、他人の不幸はそれ自体ですでに、他人に対するわれわれの名誉の、もしくはわれわれ自身に対するわれわれの名誉の減退を必然的に伴う。また別の言い方をすれば、他人の不幸と苦しみのなかには、われわれに対する危険の指示が含まれている。そして人間的な危うさと脆さ一般の印というだけでも、それらはわれわれに苦痛を感じさせる。われわれはこの種の苦痛と侮辱とを拒絶して、同情するという行為によって、それらに報復する。この行為のなかには、巧妙な正当防衛や、あるいは復讐すら込められている。〔……〕

結局のところ、憐れみを持たない人々を持つ人々から区別するものは何か。とりわけ——ここでもまた大筋を述べるに留まるが——彼らには、恐怖に対する敏感な想像力や危険を嗅ぎ取る鋭敏な能力が欠けているのだ。また、たとえ何が起ころうと、彼らがそれを阻止しうるならば、彼らの自惚れはそれほど速やかには毀損されはしない（彼らの誇りの用心深さは、他人の事柄に不必要に介入しないよう命令するのであり、実際、各々は自分自身を助け、自分のカードを繰るという考えを、彼らは心底気に入っている)。おまけに、彼らは大抵憐れみ深い人より苦痛に耐えることに慣れている。また、彼らは自分たちが苦しんできた以上、他人が苦しむことを、そんなに不公平なことだとは思わない。そして、最後に、彼らにとって心優しい状態は、ちょうど憐れみを持つ人間にとってストア主義的な無差別の保持が苦痛であるように、苦痛である。彼らはその状態に軽侮の念を込め、彼らに相応しい男らしさと冷たい勇気とが脅かされたと受け取るのである。——彼らは涙を他人の眼から隠し、自らに怒りを感じつつ、それを拭うのである。

(『曙光』第二巻一三三節)

ニーチェは、ソクラテスを悲劇の破壊者だと糾弾した。そのソクラテスの影響下で作られた、新たなセネカ的悲劇が、この引用に示されたニーチェの考えといかに近接したものであるか。ニーチェは再び、「おお、ソクラテスよ、ソクラテスよ、ことによると、これがそなたの秘密であったのか? 〔……〕これがそなたの——イロニーであったのか?」(『悲劇の誕生』第二版「自己批判の試み」一節)という言葉を反芻しなければならないのだろうか。

註

1　Bernard Williams, 'Philosophy', in M. I. Finley ed., *The Legacy of Greece: a New Appraisal*, Oxford 1981, pp. 202–255. これと関連する「道徳的運」に関する論文におけるウィリアムズの問題提起を受けて、Martha C. Nussbaum, *The Fragility of Goodness: Luck and Ethics in Greek Tragedy and Philosophy*, Cambridge 1986 は、一方では古典期の哲学的考察において「道徳的運」の問題は、ウィリアムズの主張しているように不在なのではなく、プラトンは「道徳的自足性」の観点からこれを拒否し、アリストテレスはそれへ批判的考察を加えているといった対応の差はあるものの、鋭敏な問題意識で受け止められており、他方では悲劇の側でも、行為における葛藤の問題が、その作品を通して考察の対象とされていることを詳細に解明した。

2　Bernard Williams, 'Moral Luck', in id. *Moral Luck: Philosophical Papers 1973–1980*, Cambridge 1981, pp. 20–39. この論文でウィリアムズは、通常の意味では責任のない行為者が依然として感ずる後悔という、主観的な「道徳的運」を問題としたのに対して、ネイグルは環境や境遇の変化といった、より客観的な領域にまで拡げて「道徳的運」の問題を考察した（Thomas Nagel, 'Moral Luck', in id. *Mortal Questions*, Cambridge 1979, pp. 24–38）。

3　A. W. Pickard-Cambridge, *Dithyramb, Tragedy and Comedy*, Oxford 1927, pp. 142–145 の記述によるなら、ドーリア起源ということ以外、このニーチェの想定を、少なくとも否定する材料も、肯定する材料も見あたらない。

4　この点に関しては、高橋順一『響きと思考のあいだ——リヒャルト・ヴァーグナーと十九世紀近代』青弓社、一九九六、一六一——一六五頁参照。

5　この点に関しては、C. W. Macleod, *Iliad Book XXIV*, Cambridge 1982, pp. 4-6 および、Elizabeth S. Belfiore, *Tragic Pleasures: Aristotle on Plot and Emotion*, Princeton 1992, pp. 246-253 をそれぞれ参照。

6　Martha C. Nussbaum, 'Tragedy and Self-Sufficiency: Plato and Aristotle on Fear and Pity', *Oxford Studies in Ancient Philosophy*, Vol. X, 1992, pp. 107-159.「道徳的自足性」に関しては、さらに拙稿「「余儀なき悪」と「行為の始源」──「意志の」とは異なる「自由」との関係において」『哲学雑誌』第一一二巻第七八四号、一九九七、一─二〇頁をも参照。

7　最近の研究では、Stephen Halliwell, *Aristotle's Poetics*, London 1986 が最も標準的なものであるように思われる。

8　この点に関して、Alexander Nehamas, 'Pity and Fear in the *Rhetoric* and the *Poetics*', in D. J. Furley & A. Nehamas edd., *Aristotle's Rhetoric: Philosophical Essays*, Princeton 1994, pp. 257-282 は、アリストテレスにおける悲劇の定義には、『国家』における「詩人追放論」に示された悲劇の機能に対するプラトンの理解──とりわけ憐れみの感情の肥大化という批判──に対する回答が含まれているという、通常の解釈に対して慎重な留保を表明している。

9　Robert Dobbin trans. et comm., *Epictetus Discourses Book 1*, Oxford 1998.

10　ドナルド・ラッセルは、この箇所に対する註釈(D. A. Russell ed., *'Longinus' On the Sublime*, Oxford 1964, p. 88)において、憐れみや悲しみ、恐れといったこれらの感情を、崇高さを損なう低級な感情として位置づけるロンギノスの記述は、「悲劇に最も特徴的な効用を排除することになりはしまいか」というもっともな懸念を表明していた。この懸念に対して、Doreen Innes, 'Longinus, Sublimity, and the Low Emotions', in D. Innes, H. Hine & Ch. Pelling edd., *Ethics and Rhetoric: Classical Essays for Donald Russell on His Seventy-Fifth Birthday*, Oxford 1995, pp. 323-342 は、周到な裏づけによって応じた。

11　D. S. Levene, 'Pity, Fear and the Historical Audience: Tacitus on the Fall of Vitellius', in S. M. Braund & Ch.

Gill edd., *The Passions in Roman Thought and Literature*, Cambridge 1997, pp. 128–149.

12 拙稿「私の「欄外書き込み《マルギナリア》」から——ホッブズの『メデア』」『学士会会報』第八一九号、一九九八〔本書九五頁以下参照〕。

13 Martha C. Nussbaum, 'Pity and Mercy: Nietzsche's Stoicism', in R. Schacht ed., *Nietzsche, Genealogy, Morality: Essays on Nietzsche's Genealogy of Morals*, California 1994, pp. 139–167.

私の「欄外書き込み《マルギナリア》」から——ホッブズの『メデア』

講義から解放された学年末の、それでも終わらない様々な種類や段階の試験と会議の合間を盗んでする、専門外の読書ほど楽しいものはない。肩の凝らない軽い読み物もよいが、買い求めたまま普段あまり目を通す機会のなかった本に向き合うことができるのも、そのような束の間の時である。そんな限られた中での拾い読みに格好なのが、数年前に刊行されたホッブズの書簡集である。

一六二二年、ホッブズが三十四歳の時の来信から、一六七九年、九十一歳の長寿を全うした最晩年の発信まで、約二百通の手紙が収められた二巻本は、編者ノエル・マルカムによる翻訳（英語以外に、多くのラテン語とフランス語、それに少々のイタリア語による書簡が含まれている）、懇切な註釈、そして関連登場人物の紹介と、きわめて充実した内容である。何しろ、手紙の相手は、デカルト（ただし、メルセンヌを介して）、ガッサンディ、ホイヘンス、ライプニッツ、といった当代一級の哲学者・科学者であり、彼らとの間での幾何学や力学などの論議は専門家なら必読の文献であろうし、また『リヴァイアサン』についての読者からの詳細な問い合わせは、本文確定の書誌学的意義を持つだろう。さらに、ホッブズを含む当時の著名人の

『小伝集』の著者ジョン・オーブリ宛書簡や、コジモ・デ・メディチへの礼状と返書、また年金不払いに関する国王チャールズ二世への嘆願書など、当時の知識人の相互交流や権力者との関係を知る第一級の歴史的資料もある。だが、私には宝の持ち腐れとも言うべきそれらの書簡に混じって、素人にも興味深い、この骨太の文人の意外な側面を窺わせるものが含まれている。

例えば、「巴里なる若様のお振る舞いにつき、当地に伝えられし風評、もとより拙者信ぜぬものなれど、あなた様を案ずる思いやみがたく、また御当家年来のご恩義にも報いんと、この機会に役目柄、いささか日頃学び得たるところをしたためます」という書き出しで始まる、彼の庇護者であった第三代デヴォンシャー伯・キャヴェンディシュの舎弟、チャールズへの諫言状がある。学者文人との意見交換や論争の合間をぬって、主家の若殿の不行跡を諫《いさ》めるこのような手紙も書かなければならなかったホッブズの苦労が偲ばれる。だが、そのような些事とも思える手紙の一節に、「一従者の卑見なるも、この勧告をよくよくご勘案くださるにせよ、一笑に付されるにせよ、また拙者を空《うつ》けとか、また過褒にも《トゥキュディデス》と呼んで愚弄なさるとも、その選択はあなた様にお委ね致します」とあるのには、つい読み足を止められる。

トゥキュディデス『戦史』の英訳

ホッブズが哲学者としての活動を開始するのは比較的遅く、彼の四十歳代半ばから、つまり一六三〇年代以降のことであり、それ以前はもっぱらトゥキュディデスの『ペロポネソス戦史』の英訳者として知られていた。それゆえ、日頃の勧告や説諭にも当然発揮されたに違いないトゥキュディデス愛好は、彼の周辺では半ばその渾名と化していたのだろう。けれども、これを単なるエピソードに留まらないと思わせる一節が、『リヴァイアサン』(第一部四章)にある。

〔……〕語は、物事の本性についてわれわれ〔聞き手〕が思い浮かべる意味の傍らに、話し手の本性、性向、関心について〔聞き手の〕思い浮かべるもう一つの意味をもつものであり、徳と悪徳に関する諸名辞はそのようなものである。すなわち、他の人が「恐怖」と呼ぶものを、ある人は「知恵」と呼び、他の人が「正義」と呼ぶものを、ある人は「残忍」と呼び、他の人が「広量」と呼ぶものを、ある人は「放恣」と呼び、他の人が「愚鈍」と呼ぶものを、ある人は「沈着」と呼ぶ、といった具合である。

何を読んでも、既視感(déjà vu)ならぬ、既読感(déjà lu)にとらわれがちなのは、古典を学ぶ者の宿痾と言ってもよいかもしれないが、しかし、そんな典拠穿鑿癖がなくとも、ここで言われていることと、トゥキュディデスの『戦史』(第三巻八二節)の次の記述との類似は、誰の目にも明らかであろう。

たとえば、無思慮な暴勇が、愛党的な勇気と呼ばれるようになり、これに対して、先を見通して躇《ため》うことは臆病者のかくれみの、と思われた。沈着とは卑怯者の口実、万事を解するとは万事につけて無為無策に他ならず、逆にきまぐれな知謀こそ男らしさを増すものとされ、安全を期して策をめぐらすといえば、これは耳ざわりのよい断り文句だと思われた。〔……〕陰謀どおりに事を遂げれば知恵者、その裏をかけば益々冴えた頭といわれた。

（久保正彰訳）

ケルキュラの内乱に関するこのトゥキュディデスの記述は、古来「迷宮のような」と形容される悪名高い難文であるが、「言葉すら本来それが意味するとされていた対象をあらため、それを用いる人の行動に即して別の意味をもつこととなった」というこの箇所の主意は、皮肉にも、この箇所に限って文意の辿りにくい『リヴァイアサン』の本文を、むしろ説明するものとなっている。言い換えれば、ホッブズは一七世紀の英国の市民戦争を、紀元前五世紀のペロポネソス戦争を見るトゥキュディデスの眼を通して見ていたことになる。

ホッブズが古典主義的教育を受けたことは、よく知られている。この時代の教養において、ラテン語が必須であることは言うまでもないが、当時でも例外的な彼のギリシャ語能力は、先に触れたオーブリの『小伝集』も強調するところである（このオーブリについては、ハーバート・ノーマンの『クリオの顔』に印象深い論考がある）。実際彼が一六二九年、四十一歳のとき刊行したこの『戦史』の英訳以外にも、一六七四年には八十六歳の高齢で、ホメロスの『イリアス』『オデュッセイア』両叙事詩の韻文による英訳を出している。だが、彼の処女作とも言うべきものが、弱冠十三歳のころ、オックスフォードへの進学記念に、旧師に献呈したエウリピデスの『メデア』のラテン語訳、それもイアンボスの韻を踏んだものだったということも、またオーブリの伝えるところである。つまり、彼は人生の少・壮・老の三つの時期に、悲劇、歴史、叙事詩のそれぞれ特徴あるジャンルのギリシャ古典の翻訳を行ったことになる。

エウリピデスの『メデア』の二つの解釈

しかし、残念ながらホッブズによるエウリピデスの『メデア(メデイア)』のラテン語訳は残されていない。また、後の彼の多くの著作にも、内乱による国家の分裂を喩えるのに、メデアが不老長寿を口実にイオルコスの王ペリアスの娘たちを唆《そそのか》して、その父親を八つ裂きにさせた故事をもってするくらいで、明示的な言及はむしろ稀である。その意味でも注目されるのはブラムホール僧正との間で交わされた「自由意志」をめぐる論争(『自由と必然について』一六五四)の中で、必然論への反証的事例として僧正側から出された「よりよいと思われ、またそう是認しながら、厭わしい方に従う」(『変身物語』VII. 20)というオウィディウスの詩句への反論に示された、ホッブズの『メデア』理解である。

夫イアソンの不義への復讐として、彼との間の二人の息子を殺す有名なメデアの、その決断場面に関してホッブズは、「なるほどメデアは、子供たちを殺すのを思いとどまる多くの理由を見出していたのに、彼女の判断の最終的指令は、夫への当面の復讐がそれらの理由を上回り、それに従って必然的に忌むべき行為が帰結した」と反論するのである。つまり、意志が必然的な判断を裏切ることを可能とすることをもって、その自由の徴表とするブラムホールに対して、ホッブズはメデアの行為がそれ自体、依然として一つの判断に基づく必然的なものだと反論しているのである。ここには、メデアの行為選択をめぐる長い解釈上の論争が影を落としている。

このような解釈の対立は、新旧の邦訳にも反映している。問題のクライマックスを形づくる『メデア』一〇七八—七九行は、以前の人文書院版『ギリシア悲劇全集』では、「どんなひどいことを仕出かそうとしているか、それは自分にもわかっている。／しかし、いくらわかっていても、たぎり立つ怒りのほうがそれよりも強いのだ」(中村善也訳)と、葛藤が強調されていたのが、最近の岩波書店版では、「わたしにだって、自分がどれほどひどいことをしようとしているかぐらいわかっている。／だけどそれをわたしにやらせようとしているのは、この胸のうちに燃える怒りの焔《ほむら》」(丹下和彦訳)と、むしろ決然と復讐を実行する英雄の伝統を、メデアのうちに見出す方向へと、大きく解釈を転換しているからである。このような違いは、言うまでもなくその二行目で、一方は「より強い」と訳し、他方は意訳されているが、実質上「掌握している」と解される kreisson という語のためである。というのも、この語は、「強い」という形容詞の比較級であると同時に、また「圧倒している」「支配している」という形容詞でもあるからである。また、これと連動してbouleumataが、「理性的な思案」を意味するのか、それとも(それ以前の文脈において主として用いられていたように)自らの子供を殺す「計画・策略」を意味するのかという解釈の違いがある。

理性と感情の「葛藤」から「振動」へ

今日でも古典学者の間で意見の分かれるこの箇所は、古来、様々な立場の哲学者たちにとっても関心の的であった。というのも、行為の選択における理性と感情、あるいは判断と欲求の関係を考察する絶好の材料と考えられたからである。例えば、二世紀の医者でありまた哲学者でもあるガレノスは、プラトンの所謂「魂の三部分説」がヒポクラテスの医学的知見と一致することを論ずる書物の中で、『メデア』のこの箇所に対してストア派のクリュシッポスの行っている解釈に批判を加えているが、これはまさに先の解釈の対立そのままである。

というのも、ガレノスは前者の解釈をとって、この場面に理性と感情の対立・葛藤を見て、理性の感情に対する敗北をそこに読み込むのに対して、後者の解釈をとるクリュシッポスは、感情・情念はそれ自身一種の判断であり、この場合、感情の過剰が理性の制御を振り切って、逆に理性を引きずって計画の実行を司るものとなったと考えるのである。単純化して言えば、前者は理性の役割に関して、その感情に対する対抗力を認めているのに対して、後者はそれを認めない一方、感情の役割に関して、前者が盲目的であるのに対して、後者は認知的な判断の働きを依然として認めているという違いである。今仮に前者を心の内に同時に対立する要素を抱えた「葛藤型」と呼ぶとすれば、後者はある時は理性の、また別の時は感情の、相互に対立する判断が交互に下される「振動型」と呼ぶことができるかもしれない。実際、クリュシッポスなどのストア派は振動型であり、そのことをプルタルコスは次のように報告している。

感情は理性と異ならず、これら両者の間に対立・不和もありえない。ただ、同じ一つの理性の反対方向への転回があるのみである。この転換があまりに素早く迅速であるので、それに気付かないだけである。

（『モラリア』446F-447A）

これは哲学史的には、プラトンの対話篇『プロタゴラス』で、ソクラテスが「知りつつ悪をなすことはない」という形で表明している「アクラシア（無抑制）」――「意志の弱さ」と訳されることもあるが、古代には厳密な意味で今日の「意志」に当たる概念は存在しない――の否定に端を発するものであり、エウリピデスの『メデア』はこれに対する応答であるとする説が、既に古代において流布されていた。そして、プラトンは『国家』で魂に異なる三つの機能を認めることで、この難問に答えようとし、これはアリストテレスの『ニコマコス倫理学』においても、基本的に踏襲されている。これに対してクリュシッポスは、ソクラテスの主知主義的見解に立ち戻って、これを興味深い仕方で保持しようとするものだと言うことができる。そして、先ほどのブラムホール僧正への批判に示された、ホッブズの『メデア』理解は、どちらかと言えば後者の系譜に属するものであるように思われる。この点で、興味深いのは、セネカの『メデア』である。

ホッブズとセネカの『メデア』

セネカの悲劇作品は、エリザベス朝演劇への影響についてのT・S・エリオットの有名な論文にもあるように、従来その残忍さや情念の過剰が強調されがちだったが、本来上演を目的としない、所謂「朗読劇」的性格に由来するものであり、当時の修辞学校における「仮想演説」の影響を色濃く残すものである。ペトロニウスの『サテュリコン』には、既にその当時形骸化したこの種の修辞学的訓練に対する揶揄が見出せるし、また大セネカが息子たちのために書いた『仮想演説集』には、このような演説の二つの部門を構成する「判定的論議(controversia)」と「勧告的論議(suasoria)」のうち、若き日のオウィディウスが、法廷での仮想弁護を中心とする前者を嫌い、歴史や物語上の人物の決定的な行為選択の場面で仮想の勧告・助言を行う、後者の方を好んだという逸話が残されている(「勧告(counsel)」はまた、ホッブズにとっても、理論の上でも生活の上でも、重要な意味を持っていた)。

実際、今日では失われてしまったオウィディウスの『メデア』は、そのような勧告的な仮想演説を悲劇作品に適用したものと考えられ、その片鱗は先の『変身物語』における、メデアの独白に窺うことができる。先の詩句の内容は、葛藤型であったけれど、独白において葛藤を表現するには、母親の子への愛情と夫への復讐との間の、めまぐるしい感情表出の交錯によるしかないという技巧上の制約が、あるいは葛藤型から振動型への移行を説明するかもしれない。

実際、オウィディウス的な独白の影響は、セネカの悲劇における振幅の大きな感情のうねりに見て取れる。例えば、「暴風が狂ったように吹き荒れるときには、／海の大波はお互い激しく衝突し合い、／たぎり立つ潮の行方は定まらない。わたしの心も同じこと、／動揺して止むことがない。憤怒が慈悲を追い立てる、／慈悲が憤怒を追い払う——。怨念よ、慈悲に譲って消えておくれ」（小林標訳）という、セネカの『メデア』の一節（940-944）は、その劇的効果をむしろ減殺しているように思われるが、このような振動のモチーフを、台詞自身の中に取り込んだものである。だが、セネカにおけるそのような修辞的な表現には、感情に関する彼自身の哲学的考察の裏づけがあった。

セネカのストア哲学と彼の悲劇作品との関係については、諸説紛々であるが、確かに感情や欲求の抑制・克己を主張するストア主義と、とりわけ悲劇の感情過多とは、相容れないように思われるかもしれない。しかし、セネカの感情論とも言うべき『怒りについて』で、「害されたという印象を単に受けるだけでなく、これを承認することによって生ずる衝動が怒りであり、それは最終的な意志と判断に基づく、復讐へ向けた心の振動である」と述べていることを考え合わせれば、彼の悲劇作品が、このような感情理論の精確な応用であることが理解されよう。

そしてこれは、クリュシッポスを始めとする正統的なストア哲学に忠実なものなのである。

こんなところでも職業的な考証癖が、つい頭をもたげてしまったが、ホッブズのエウリピデス『メデア』のラテン語訳が、葛藤型よりも、むしろ振動型であるという点で、このセネカの『メデア』に近いものではなかったかと推測できる証拠がある。というのは、一六四二年に公刊されたトマス・ホワイトの著作『世界についての三対話』に対して、ホッブズが批判を加えた草稿が残されているが、その感情に関する箇所（第三〇章二三節）に、先のプルタルコスの報告を想起させる、次のような記述を見出すことができるからである。

またさらに、歓喜（delectatio）と不興（molestia）のうち、一方は他方に非常に頻繁に入れ替わる。それらは交互に惹起され、あまりにも素早く交代するので、それらの相互変換は、変化であるというより、むしろその中間の何かに融合しているように見える。この双方向的運動から、「心の動揺」と呼ばれる情念、すなわち、希望、恐怖、怒り、嫉妬、対抗心、自責の念、また、笑ったり泣いたりする人々のもつ諸感情、その他その大部分が名前を欠く無数のものが生ずるのである。

このラテン語の「心の動揺（perturbationes animi）」という表現は、もともとギリシャ語の pathos をラテン語に翻訳する際、キケロによって案出されたものであり、彼はこれをストア主義の立場により忠実に「病(morbus)」と訳したかったが、憐れみや悲しみの感情をすべて病的なものとするのは不自然なので、前者を選んだと述べている。だが、その際にもこれが、自然の働きによるものではなく、人の判断や意見によって引き起こされたものであることが、強調されていた。そして、右の一節に示された考えは、ホッブズの主著である『リヴァイアサン』(一六五一)第一部六章の中にも、そのまま取り込まれている。

人間の心のなかに、同一のものごとをめぐって、欲求と嫌悪、希望と恐怖が交互に生起し、また提示されたものごとを行ったり、回避したりすることによる、さまざまな善悪の結果が、連続的にわれわれの思考のなかに入ってきて、そのため、われわれはあるときはそれに対する欲求をもち、あるときは嫌悪を抱き、あるときはそれをなしうるという希望を、あるときはそれを企てることに絶望もしくは恐怖をもつ。その際、そのものごとがなされるか、あるいは不可能と考えられるに至るまでの、欲望、嫌悪、希望、恐怖の総体こそ、われわれが熟慮(deliberation)と呼ぶものである。

この一節を読めば、十三歳の時の『メデア』読解が、いかにその後のホッブズの思考をも導いていたかが分かる。先に述べたように、ホッブズは市民革命期の混乱を『戦史』の作者の眼を通して見ていたのと同じく、『メデア』の悲劇の眼を通して、心のうちなる内乱、つまり(今日の多重人格論にも通ずる）「理性の狂気」を見ていたように思われる。まことに、「作者は処女作に向け成熟する」という言葉を思わざるを得ないと同時に、典拠で飾り立てるのは嫌ったが、しかしその分血肉化した、彼の古典的教養が近代解読に果たした、その役割の大きさを改めて再認識させられるのである。

ところで、先ほどの若殿チャールズへの諫言状は次のように締め括られている。「末筆ながら、結婚を望まぬ、平たく言えばお遊びのお相手には、くれぐれも愛をうち明けぬよう、ご忠告申しあぐるに如かずと愚考いたします。先を慮らぬ振る舞いは、世に言う虚栄なれば……」。やはり、オーブリの伝えるところでは、ホッブズ自身若い頃より、酒と女性には節度があったとのことだが、あるいは『メデア』の悲劇が、身に沁みていたのかもしれない。

言葉と表象

カルヴィーノの講義録

イタロ・カルヴィーノの「白鳥の歌」とも言うべきハーヴァードでの連続講義は、「アメリカ講義」(Italo Calvino, *Lezioni Americane. Sei proposte per il prossimo millennio*, *Mondadori*, Milano 1993. 邦題『カルヴィーノの文学講義』米川良夫訳、朝日新聞社、一九九九)とそっけない名をつけられて死後出版されたが、「新たな千年紀のための六つの提案」というその際副題とされた方がもともとの題で、彼の手書きのメモには、「1 軽み(Lightness)」、「2 速さ(Quickness)」、「3 正確さ(Exactitude)」、「4 可視性(Visibility)」、「5 多重性(Multiplicity)」と各回の表題が並べられ、最後の「6」のところは「一貫性(Consistency)」(あるいは「稠密さ」と訳すべきか)と一旦書いて消されているのが、邦訳に再録されている写真を見ても幽かに読み取れる。この講義録は、一九八五年の時点でいささか気が早いと思われなくもないが、二一世紀を展望しつつ、しかも五つ目の講義を準備し終えた段階で、その著者自身の死を迎えたことを考え合わせれば、文字通りの彼の作家人生を回顧し、締め括るものとなる予感があったのかもしれない(そして、ついでに言えば、一旦書かれて消された最後の「一貫性」もしくは「稠密さ」こそ、まさに各講義に周到に張り巡らされた見えない導きの糸を、象徴しているかのように思われる)。

以前からこの講義録をとても気に入っていて、できることならいつの日にか、これと各回同じ題名と順番で、「文学」ならぬ「哲学」の連続講義がしてみたいと思っているほどである。もっとも、カルヴィーノの講義それ自体、すでに「哲学講義」と呼ばれてもおかしくない内容と引照を含んでいる。たとえばルクレティウスにおいて、「世界を知る」とは、世界の側での堅固さが原子の離合集散へと解きほぐされ、それに対応して知識の方は対象からの繊細な皮膜を受容する感覚へと拡散することで、一つの軽みの境地に達しているとの指摘が冒頭にある。しかもその際、誰でもすぐ思い浮かぶミラン・クンデラの『存在の耐えられない軽さ』への言及をわざと避けながら、そこで対比されていたパルメニデスにおける「存在」の凝集した重みに、〈騒々しい沈黙〉を鳴り響かせている。

そして、この第一講義でも、その詩句を、雲や微粒子、あるいは磁場に働く磁気の軽みに譬えられたカヴァルカンティとの対比で、言葉に物のもつ重さと厚みの感覚的な具象性を付与したダンテに言及しているが、第四講義「可視性」では、そうした物の手ごたえを知悉したダンテだからこそ歌いえた詩句、「やがてなおも高きを目指す想像のただなかに降り来った(Poi piovve dentro all'alta fantasia)」(『神曲 煉獄篇』第一七歌二五行)が、その冒頭から引かれている。そして、「ダンテはこれらのイメージが、天から降って来るのだと、つまりこれらは神から送られて来るものだと理解している」と、これにわざわざ但し書きを加えている。そして、それに続くカルヴィーノの説明は、自らの薬籠中からさりげなく取り出して見せるその手つきともども、多少とも古典期から古代末期の哲学史を齧《かじ》った者なら、嘆賞を禁じえない種類のものである。

二つの phantasia

「表象(phantasia)」という語は、現存のギリシャ語文献においては、もしプラトンの『国家』(II. 382e)の読みが正しければ、これが初出ということになり、はたしてこの語がプラトン自身の造語にかかるものかどうかはわからないが、少なくともそこでは人を欺く要因として、夢や言葉や予兆と並べられている。その後プラトンは、『テアイテトス』におけるプロタゴラスの相対主義的な感覚＝知識説を検討する際にこの語を頻繁に用いているが、それはこの「表象(phantasia)」という語がもともと「何かが誰かに現われる(phainesthai ti tini)」という動詞の名詞化であり、事物がそれを体験する個々人に応じて、それぞれ個別的な仕方で現われることを前提とするものである。しかも、「現われる(phainesthai)」という動詞は、そのあとに不定詞をとるか分詞をとるかで、「何々らしい」という推測の意味と、「はっきりと何々である」という明証の意味とに分かれる。それは英語の appear において、この二つの意味がしばしば紛らわしいのに似ている。だが、この両義性も、「現われ」は自分にとっては明瞭だが、他者にとっては推測するしかないという、同じ事態の二つの側面と考えれば納得できることである。

『テアイテトス』では、感覚も判断もともに「現われ・表象」の話にしばしば言い換えられていたが、それはこのような知覚体験の相対性に基づいてのことである。そこから「表象」は「感覚と判断との混合」(『ソフィスト』264a4, cf. 264b2,『ティマイオス』52a7,『国家』X. 603a)という説明が、『ソフィスト』ではなされることにもなる。プラトン自身が、実際この考えにどこまでコミットしていたかはともかく、後にアリストテレスが『魂論』(『デ・アニマ』III. 3. 428a24)で「表象は、感覚を伴った判断でも、感覚を介した判断でも、また判断と感覚との結合でもありえない」と主張したとき、これは明らかにプラトンを批判するものだったのである。

ではそのアリストテレス自身において「表象」はいかなる位置づけをもっていたかというと、実は、感覚や知性と違って、何か独立の心的能力としては扱われていない。それは過去の経験を記憶にとどめる際の、過ぎ去った不在の対象への感覚的な関わりであり、さらにはそうした個別的感覚経験を普遍的な概念的知性把握へと橋渡しする媒介者である。言い換えれば、表象は感覚と密接な関わりをもつが、すべての感覚の働きにおいて表象が関与しているわけではなく、むしろ当面感覚が働いていない場合にその機能を代行し、感覚的対象に関して思考を働かせる場合に必要なものであるが、知性的認識が確立した段階で、その役目を終えるというのが、アリストテレスにおける表象の位置づけである。

「眼前髣髴」

これに対して、ストア派における表象の位置づけは、アリストテレスに比べて、はるかに中心的なものである。というのも、表象は感覚や知性の働きを含めたあらゆる認識、そして感情や行為の基礎だからである。たとえば、アリストテレスにおいては、現に感覚を働かせることのできない過去体験の記憶や未来の予期にあたって表象はその役割を果たすのに対して、ストア派においては、現に働いているものを含めて、あらゆる感覚において、表象はその構成要素であり、これがさらに言語化可能な命題的内容(これを「レクトン」と呼ぶ)をもち、さらにはそれらが論理的結合をすることによって推論という知性活動の基礎となる。また、たとえば煙を見て、そこに火事などの危険を察知して、消火や避難といった行動を促す記号推理もまた表象の働きに含まれる。

これに関連して、とりわけ注目されるのは、言葉とイメージとの関係である。『崇高論』の著者(以前には「ロンギノス」の名で伝えられてきたが、現在では別の著者であると考えられている)は、これについて次のように述べている。

「表象」という語は、一般にあらゆる種類の言葉を生み出す思考をもたらす限りのものに適用される。だが、この語はすでに、熱狂や激情によって話し手が自分の語る内容を見ているように思い、またその聞き手の眼前にその内容を髣髴《ほうふつ》とさせるような場合に、広げて適用されている。

（『崇高論』15.1）

ここで「言葉を生み出す思考」と呼ばれているのは、表象が言語の基礎にあるというストア派の考え方を踏まえたものであり、そうした意味の拡張として、むしろ逆に言語によって喚起されるイメージのことに言及しているのである。おそらくこれと同じ典拠に基づいて、クインティリアヌスは、次のように述べている。

これはギリシャ人が「表象」と呼ぶもので、不在の事物の映像(imagines)を、あたかも自分たちの眼に現前するそれらが明瞭に見えるかのように、われわれの精神に再現するものである。

（『弁論教程』6.2.29）

ここでは先の伝ロンギノスにおける拡張された意味のほうが、前面に押し出されている。しかも、「不在」の事物のことが強調されているのは、「眼(oculi)」と「精神(animus)」との対比と相俟って、感覚における不在と思考における現前という枠組みへと一歩踏み出しているように思われる。そして、後の新プラトン主義者にとって、「表象」とは最初から、感覚的な対象に関わるものと、知性的な対象に関わるものとに区分されていることが前提とされる。

これに関連してカルヴィーノはジョルダーノ・ブルーノの「空想的な精神(spiritus phantasticus)」という表現に注目しているが、この語によって直ちに想起されるのは、アウグスティヌスが「表象的な精神(phantasticus animus)」(『第六書簡』2)という言い方をしていることである。というのも、従来の語の結びつきでは「感覚」と「表象」との組み合わせはありえても、「精神」と「表象」との組み合わせは、やはり一種の用法上の跳躍を要したことと思われるからである。そしてその間には新プラトン主義における表象の知性化ということがあり、さらに表象は架空のものの想像へと拡張される必要があった。実際、phantasiaというギリシャ語からの音写表記を、imaginatioとラテン語訳して流通させたのもアウグスティヌスであり、その際、本来のストア派においては不可能だった表象の意志によるコントロールへと道を開いたのもまた彼である。というのも、ストア派において表象は不可避的に生じるものであり、われわれの意志が介在できるのは、それに対する「同意」だけだったからである。

言葉とイメージ

カルヴィーノが、ダンテの詩句を引いて「天から降って来る」とわざわざ註記したのは、以上のような「表象」をめぐる概念史の背景があるからである。そして、そのうえでさらに「想像の過程は二つのタイプに区別できる。すなわち、言葉の側から視覚的イメージに至るものと、視覚的イメージの側から言語的表現へと至るものとである」ということを、カルヴィーノは指摘する。プラトンは『ピレボス』(39a-b)で、快楽に真偽があることを示すために、魂のうちに事柄を記録する筆記者に加えて、そうして記録された記憶内容に基づいて絵を描く画家を想定しているが、言うならばこれは言語からイメージへの前者の過程であるとすれば、後者のイメージから言語への過程は、すでに触れたストア派の立場である。

そして、ここに先の新プラトン主義的な「知性的表象」という考えが加わることによって、一種劇的な変容が起こる。つまり、このような「天から降り来る表象」は、もはや一時的な感覚への「不在」ではなく、原理的な「不在」を刻印されることになるからである。言い換えれば、こうした新プラトン主義的思考法が、本来の「魂の階梯」の上昇という哲学的修練抜きに、芸術家のインスピレーションや創造性の問題として理解されることで、「不在のものの表象」は、「存在しないもの・架空のものの想像」へと変容することとなるからである。カルヴィーノがこの講義をホフマンやシャミッソーからヘンリー・ジェイムズをも含めた「幻想文学」で締め括っているのは、その意味で当然のことだが、その過程で、ゆくりなくもカルヴィーノは、言葉を生み出す源泉としてのイメージについて、自分自身の例を打ち明けている。

それは「真二つに切り裂かれた男のそれぞれの半身が別個の生をうる」というイメージである。一方の半身は木の上に登ったまま、二度と地上に降りないという生をいき、もう一方の半身は、空っぽの鎧が、まるで中に人がいるかのように人々を支配する生をいきる。つまり、ここで彼は『まっぷたつの子爵』『木のぼり男爵』『不在の騎士』の三部作の誕生譚を語っているのである。

「隣接対照的再記述(**paradiastolic redescription**)」

さて、われわれが論じてきたphantasiaからimaginationへの変遷の最終局面において、言葉とイメージとの関係をめぐって、やはりどうしても最後に言及しておくべき事態への注目が、ホッブズのうちにある。

〔……〕語は、物事の本性についてわれわれ〔聞き手〕が思い浮かべる(imagine)意味の傍らに、話し手の本性、性向、関心について〔聞き手の〕思い浮かべるもう一つの意味をもつものであり、徳と悪徳に関する諸名辞はそのようなものである。すなわち、他の人が「恐怖」と呼ぶものを、ある人は「知恵」と呼び、他の人が「正義」と呼ぶものを、ある人は「残忍」と呼び、他の人が「広量」と呼ぶものを、ある人は「放恣」と呼び、他の人が「愚鈍」と呼ぶものを、ある人は「沈着」と呼ぶ、といった具合である。

(『リヴァイアサン』第一部四章)

ホッブズが、先にわれわれの引照した伝ロンギノス『崇高論』を読んでいたかどうか知らない。しかし、クウェンティン・スキナーの分析を待つまでもなく(Quentin Skinner, *Reason and Rhetoric in the Philosophy of Hobbes*, Cambridge U.P. 1996)、当時の修辞学の知識に基づいて、ホッブズが話し手と聞き手の対比でこの箇所を書いていることは、むしろこれを読む側での前提であろう。そしてその上で、ここで用いられているクインティリアヌス(『弁論教程』9.3.65)などによって、ギリシャ語でparadiastole、ラテン語でdistinctioと呼ばれる修辞的技法が初めて意味をもつのである(ここでbesidesを、「とは別に」ではなく、「の傍らに」と訳したのは、「隣接対照的再記述(paradiastolic redescription)」とスキナーがこの修辞法を特徴づけている原義を明示するためである)。しかも、すでに周知のことだが、この箇所の背景には、彼が四十歳のころ翻訳し、公刊までしたトゥキュディデスの『戦史』の影響がある。

たとえば、無思慮な暴勇が、愛党的な勇気と呼ばれるようになり、これに対して、先を見通して躊《ため》らうことは臆病者のかくれみの、と思われた。沈着とは卑怯者の口実、万事を解するとは万事につけて無為無策に他ならず、逆にきまぐれな知謀こそ男らしさを増すものとされ、安全を期して策をめぐらすといえば、これは耳ざわりのよい断り文句だと思われた。また、不平論者こそ当座の信頼に足る人間とされ、これに反論する者には疑惑がむけられた。陰謀どおりに事を遂げれば知恵者、その裏をかけば益々冴えた頭といわれた。

(『戦史』第三巻八二節、久保正彰訳)

紀元前四二七年から、ペロポネソス戦争の余波の一つとして、ケルキュラで起こったスパルタ方に親近感をもつ寡頭派とアテナイ方の援助を受けた民主派との間で繰り広げられた骨肉相食む内乱において、「事物の意味づけのために設けられた名前が通常受けとられる額面とは異なる、恣意的なものに変えられた」と、ホッブズはこれに先立つトゥキュディデスの一文を訳しているが、これはイギリスの市民戦争を間近に凝視しなければならなかったホッブズにとって、単に古代史の出来事ではなく、まさに現在進行形の出来事の記述であったに違いない(この点については、以前に「私の「欄外書き込み《マルギナリア》」から——ホッブズの『メデア』」『学士会会報』第八一九号、一九九八において論じたことがある〔本書九五頁以下参照〕)。

「美しい国」の修辞学

実は、ここにもう一つ別の反響を聞くことができる。

こうして「慎み」を「お人好しの愚かしさ」と名づけ、権利を剝奪して追放者として外に追いやるのをはじめ、「節制」を「意気地のなさ」と呼び、辱めを与えて追放し、「節度とけじめのある金遣い」を「野暮」だとか、「自由人に不釣合いな気前の悪さ」だとか理屈をつけて、多くの無益な欲望と力を合わせてこれを国外に追いやってしまう〔……〕さらには、「思い上がり」「無統制」「浪費」「無恥」といったものに冠をかぶせ、大合唱隊を従わせて輝く光のもとに、それぞれ「思い上がり」は「育ちのよさ」、「無統制」は「自由」、

「浪費」は「度量の広さ」、「無恥」は「勇敢」と呼んで、それぞれを美名のもとに褒めそやしながら、これを追放から連れ戻す。

（『国家』VIII. 560d-e）

このプラトンの一節は、政治体制の変遷のなかでも、とりわけ寡頭制から民主制へと堕落していく過程を、それぞれの体制に対応した特徴的な人間類型とその変遷の心理的メカニズムを通して描いた興味深い箇所である。

寡頭制は文字通りには少数派による支配だが、その実質は多くの財産をもつ有力者による支配であり、彼らにルサンチマンをもつ民主派は、主として寡頭派の金銭的節度を攻撃しつつ、多数を頼んで彼らの権利を剝奪してゆく。プラトンの『国家』は、「理想国家」の建設の側面だけが強調されがちだが、優秀者支配制（aristokratia）、名誉支配制（timokratia）、寡頭制（oligarchia）、民主制（demokratia）、僭主制（tyrannis）という、政体変遷の過程をたどった第八・九巻には、彼がもつ一種下降史観的な、政治へのリアルな眼差しを垣間見ることができる。

従来、トゥキュディデスの『戦史』における「メロスの対話」が、プラトンの『ゴルギアス』におけるカリクレスの考えに与えた影響をめぐって専門家の意見は分かれてきたが、ここに引いた一節もそのような影響関係をめぐる係争箇所の一つである。この箇所に関して、私はプラトンがトゥキュディデスから受けた影響に肯定的である。

その後、前四〇四年には、アテナイ自身、スパルタの寡頭制シンパである「三十人政権」によって、民主制が転覆されるという事態を迎えるが、その首謀者の一人であるクリティアスを叔父にもつプラトンは、これをきわめて深刻に受け止めていたはずである。そして、今しがた引用した箇所に続いて、次には民主制から僭主制への移行が語られることになる。

そこでは「かのもっとも美しい国制ともっとも美しい人間について述べることが、われわれの仕事として残されていることになろう。すなわちそれは、〈僭主独裁制〉と〈僭主〉にほかならない」(『国家』VIII. 562a)と言われている。プラトンは『国家』において言論によって建設する理想国家のことを、確かに「美しい国(Kallipolis)」(同VII. 527c2)と呼んでいた。だから、国制のもっとも堕落した形態を「美しい国」と呼ぶのはアイロニーであることは言うまでもない。だが、先ほどのトゥキュディデスの一文を目にしたわれわれとしても、「その語を用いる人の行動に即して別の意味をもつ」ことは、すでに折り込みずみのことでなければならないだろう。ここでもまた、「隣接対照的再記述(paradiastolic redescription)」が用いられている可能性を否定することはできないはずである。

言葉がイメージを生み、イメージが逆に言葉の意味を変える——そうした状況において、今求められるのは、政治へのリアルな眼差しである。だが、それは虚構とその威力への充分な対処法を前提とするものでなければならない。修辞的政治に対しては、政治的修辞学の素養と修練が必要なのである。

さて、「表象文化論学会」の発足にあたって求められた以上の一文において、言葉とイメージをめぐるその考察が、「〈人文知〉の過去」ばかりを溯るものだと疑念を呈されるかもしれないが、いや、これはそのまま「〈人文知〉の未来」への展望であると答えたい。

思考のためのレシピ

「思考」を翻訳することは可能か？

——訳語としての「幸福」をめぐって[1]

I 「幸福」という語の比較的新しい成立

今回、「哲学の方法と翻訳の意義」というテーマが設定されたことを契機に、筆者自身の担当したアリストテレスの『ニコマコス倫理学』[2]の翻訳作業の経験から、特にeudaimoniaという語を取り上げ、この語をめぐって思考の枠組みの移しかえということがそもそも可能なのか考察することとしたい。そこでまず確認しておきたいのは、「幸福」という語が日本語の語彙に加えられたのは比較的最近のことだということである。「最近」と言っても、『日本国語大辞典』（第二版、二〇〇一）には、「幸福」の比較的古い用例として、上田秋成の『胆大小心録《たんだいしょうしんろく》』[3]（一八〇八）、次いで初期の英和辞書『諳厄利亜語林大成《あんげりあごりんたいせい》』[4]（一八一四）を挙げているので、江戸末期から明治の開化期にかけてのことであると思われる。

ただし、上田秋成は「幸福」以外にも、「冥福」、「命禄」、「天禄」などの語も同時に使っており、このうち「冥福」は仏教における（今日「ご冥福をお祈りします」という葬儀の常套句における「あの世の幸福」とは意味を異にして）当人の与り知らぬ隠れた前世の善因によるこの世の善果を、また、「命禄」や「天禄」は儒教における「天命」を、それぞれ指すものと思われる。[5]その点で「幸福」は、「かうふく」と読ませるにせよ「さいはひ」と読ませるにせよ、真淵に連なる国学の徒として、秋成はこの語を仏説や儒説に縛られない意味で特に用いているのかもしれない。[6]だがいずれにしても、実際に「幸福」の語が頻繁に用いられるようになったのは、明治以降のことである。

明治四年（一八七一）刊行の中村正直の『西国立志編』（Samuel Smiles, ***Self-Help***, 1859 の翻訳）には、今日われわれが使う「道徳」や「自由」、「快楽」などの道徳関係の用語がほぼ出揃った感があるなか、「幸福」もそのうちに含まれている。だがここでも、happiness の訳語は「幸福」以外にも、「福祉」、「福祥」、「福運」、「福分」など一定していない。だが、中村正直を含む森有礼、福沢諭吉、西周、津田真道、加藤弘之らによる『明六雑誌』になると、「幸福」の語はようやく定着してきたことが分かる。[7]

だが、それに先立つこと三百年前、一五九五年に天草のイエズス会学院で刊行された『羅葡日辞典（*Dictionarium Latino-Lusitanicum, ac Iaponicum*）』には、ラテン語の beatitudo および felicitas の項目として、以下のような記述が見られる。[8]

Beatitudo, inis. Lus. Bemauenturança, Iap. Quafô, goxôno quatocu.

Felicitas, atis. Lus. Prosperande, bemauenturança, Iap. Quafô, yeiyô, yeigua.

この当時の方式のローマ字表記を漢字かな表記に起こせば、それぞれ「果報、後生の果得」、「果報、栄耀、栄華」となると考えられる。言い換えれば、当時まだ「幸福」の語は存在しないか、あるいは少なくとも一般的でなかったということになる。しかも、一六世紀のキリシタン文書における、「果報」や「栄華」といった訳語は、felicitas もしくは beatitudo というラテン語を介して、ギリシャ語の eudaimonia にまで遡りうると言うことができるが、これはある意味で「幸福」という近代訳と比べてより適切であったかもしれない。[9] というのも、近年の英語圏では、happen に由来する happiness に代えて、flourishing や well-being の訳語の方がより適訳であるとする論者も多いからである。

いずれにしても、「幸福」という語の使用は比較的新しいことで、それは訳語として用いられて広まったと言うことができよう。それ以前には、「果報」や「栄華」といった語が用いられていたということが、少なくとも九州地方という限定はあるものの、言えるようである。しかも、こうした表現はつい最近まで用いられていた可能性がある。たとえば、石牟礼道子の『苦海浄土』(一九六九)に、「魚は天のくれらすもんでござす。天のくれらすもんを、ただで、わが要ると思うしことって、その日を暮らす。これより上の栄華のどこにゆけばあろうかい」(「海石」、第四章「天の魚」)とある不知火《しらぬい》海の老漁師の言葉に、その確かな残響を聴くことができよう。一九六〇年以降の高度成長期に顕在化する水質汚染による水俣病の惨状と、それ以前の不知火・天草地方の海の豊饒とを対比するこの小説の一節には、自然環境とそこで必要なもののみを享受する自足的な幸福のあり方が、その悲惨な喪失との恐ろしいばかりの対照のもとに描かれている。

もし、その後のキリシタン弾圧がなければ、beatitudo もしくは felicitas に対する「栄華」という訳語が定着していたかもしれないが、happiness に代わって flourishing という近年の英語圏での訳語改訂にいくら符合するからといって、今回の『ニコマコス倫理学』の新訳において eudaimonia の訳語として「栄華」を採用することはさすがにできなかった。言うまでもなく、今日のわれわれの言葉遣いに基盤をもたないからである。そればかりか、紀元前四世紀から紀元後一六世紀までの約二千年のその間の「幸福観」の変遷を考えるとき、ある時代の特定の論者の考え方に限定された訳語の採用は、より大きな哲学史的展望からは、むしろ「誤訳」もしくは「不適訳」の恐れが高くなる可能性も否定できない。

その意味では、「幸福」という訳語は、仏教的な因果思想に基づく「果報」[10] や儒教的な天命思想に基づく「命禄」、「天禄」などと違って、特定の宗教的・思想的背景をもたない点で、むしろ適切であると言うこともできよう。訳語はそれが表現する事柄を正確に写し取るべきことは言うまでもないが、事柄によっては、むしろ内容を狭く特定しすぎない方が事柄の表現においてより適切である場合があるように思われる。とりわけ、以下で考察するように、その概念自体において数次にわたる語義の変遷を経てきた言葉に関して、そうした事柄が当てはまるように思われる。

II　eudaimonia の語義変革

「幸福」を表すギリシャ語としては、古くはホメロスの『イリアス』における「アトレウスの子は幸福者(makar)よ、幸運に恵まれ(moiregenes)祝福されし者(olbiodaimon)よ、これほど多くのアカイア勢の若者たちを配下に従えて」(III. 182-183)という詩句に見られるように、makar(makarios)や olbos(olbios)あるいはこれと関連する olbiodaimon などがあるが、後に一般化するのは eudaimon(および、その名詞化 eudaimonia)である。

eudaimon は、本来「善いダイモーンが付いている」という意味であるが、通常の日常的な用法において、果たしてそうした語源がどこまで意識されていたかは、必ずしも明らかではない。[11] だが、いずれにしても当時の通念において、この語によって意味されているのは、「美貌や権勢、富、名誉といったもの」(クセノポン『ソクラテスの思い出』IV. ii. 34)である。こうした当時の幸福観に対して、ソクラテスは身体や金銭に対する配慮ではなく、まさに「魂への配慮」(プラトン『ソクラテスの弁明』30b)を行うべきだとの立場から、幸福に関しても、身体や金銭などはすべて「徳」に基づいてこそ「善」と呼ばれうるという考え方を表明した。クセノポンは、先の通俗的な幸福観に対して、むしろ美貌や能力、富や名声、権勢のために逆に身を滅ぼした人々の例を挙げて、同時代のアンティステネスなどのキュニコス派の立場にも通ずる反俗的な考えをソクラテスに帰している。

これに対して、プラトンがソクラテスに見出したのは、幸福をめぐるそうした俗情との結託を単に断ち切るだけではなく、むしろ幸福の概念そのものへの根本的な変革をもたらす考え方である。それは『ゴルギアス』における僭主・アルケラオスは、不正なるがゆえに不幸であるというソクラテスの逆説であり、プラトンはこうした考えをより組織的に、『国家』第二巻におけるいわゆる「グラウコンの挑戦」において展開した。つまり、「正義」がそれ自体でもつ「力」を検証する目的で、正義に適った人間を不幸な状況にあえて投入する思考実験を行っているのである。

僭主とは、非合法的に権力を奪取した、法的な裏づけのない支配者であるが、富と権力を独占するために他人の財産を没収したり、追放したり、死刑にしたりする大きな力を持っている。こうした正義に反して得られる富や権力は、先の通俗的な幸福観からは幸福であるということになるが、ソクラテスはむしろ、そうした者は「悲惨である(athlios)」と主張する。このathlios というギリシャ語は、「幸福」の反対語として、「惨め」という、どちらかといえば当事者の感情などの主観的状態を示す語としても訳されることがあるが、これは本来、強いて違いを際立たせるなら「破綻している」と訳してよいような、当事者の置かれている客観的な状態を記述する語である。

これに関しては、『ゴルギアス』のこの箇所に対するキケロによる翻訳と考えてよい一節が、『トゥスクルム荘対談集』に残されている。これは「翻訳」というわれわれのテーマの観点からも興味深いので、プラトンのギリシャ語テクストのキケロによるラテン語訳という実例を手掛かりに、考察を進めたい。ここで特に注目されるのは、対話相手のポーロスに対して、僭主・アルケラオスは「幸福か、それとも悲惨か」という問いかけを行ったソクラテスが、「実際、立派で善き人こそ、男であれ女であれ、幸福なのであり、不正で劣悪な者は悲惨である」(『ゴルギアス』470e9-11)と主張する箇所である。これに対するキケロの訳は、「善き人は幸福であり、不正な人は惨めである(bonos beatos, improbos miseros)」(『トゥスクルム荘対談集』V. 35)というものである。厳密な意味における翻訳であるかどうか、あるいは疑問が残るかもしれないが、前後の文章からこれが要約や言い換えではなく、少なくともキケロとしてはプラトンのギリシャ語をラテン語に移しかえる意図のもとになされたものであることは明らかである。

その意味で、ギリシャ語の kalos kai agathos(「立派で善き人」)をラテン語 bonus 一語で表現しているのは、簡略化や省略というよりも、原語の二語がもともと kalokagathia と一語に名詞化されるような一体的なものとして理解されていたことを考え合わせるならば、一応了解されよう。だが、それに続いてソクラテスがわざわざ「男も女も」と述べている箇所を、男性形のみで表現しているのは、仮にこれが原文の単数形を複数形に変えたことをもって、男性のみではなく女性をも含む「人々」という意味で用いられているのだと好意的に解釈したとしても、おそらく原意の強調を十分伝えているとは言えないであろう。[12]

より重大なのは、ギリシャ語の athlios をラテン語の miser と訳すことにともなって生ずる語義の重点の変化である。というのは、すでに触れたように、athlios は当事者の置かれている客観的な悲惨な状態を意味する語であり、miser も本来そうした意味合いをもつものであるが、先の『ゴルギアス』の翻訳を含む『トゥスクルム荘対談集』第五巻では、それに先立つ箇所で、無分別な激情に駆られ、高ぶった心の動揺や激昂が幸福を阻害し、死や苦痛、貧困、恥辱、悪評、虚弱や盲目、隷属といった事態への恐れが人を「惨め（miser）」な状態に陥らせるという条りがある（『トゥスクルム荘対談集』V. 15）。そしてそのうえで幸福とは、こうしたさまざま不合理な恐れなどの惑乱（perturbatio）を免れた「魂の平穏で平静な状態（animi quietus et placatus status）」であり、これを「海の凪（maris tranquillitas）」[13]になぞらえている（同 V. 16）。ここでは感情を、誤った判断に基づく「心の惑乱（perturbatio animi）」――これが pathos のキケロによる訳語である（同 III. 7）――と見なしている。ここには、こうした感情の影響を受けない「無感情（apatheia）」を賢者に求めるストア派の理論と、言われなき「恐怖」を世界の正しい認識によって払拭することによって「心の平安（ataraxia）」を得ようとするエピクロス派の理論とが混在している。そして、先の『ゴルギアス』の箇所への言及も、もともとはストア派の学祖・ゼノンの考えをプラトンの権威によって裏づけるためになされていたのである。

つまり、少なくともキケロの時代においては、miser は人々が置かれている困難な状況を記述するものであるよりも、むしろそうした状況に対する心的な態度を記述するものへと変化しているのである。そしてそれに対応して、「幸福」もまた、人々が置かれている客観的な状態ではなく、当事者の心的態度へとその語義の重心が移されていることになる。[14]

実際、アリストテレスの死後、いわゆる「ヘレニズム期」の最大思潮であるエピクロス派、ストア派、懐疑派において、「幸福(eudaimonia, beatitudo)」は、それぞれ「心の平安(ataraxia, tranquillitas)」(エピクロス派と懐疑派)、「無感情(apatheia)」もしくは「生の滞りなき流れ(eu-roia biou)」(ストア派)といった、主観的な見方に大きく変貌したからである。それは大まかに「活動」から「心の状態」へ、あるいはまた activity から tranquillity への変化と特徴づけることができるだろう。

Ⅲ　活動としての「幸福」から、心の状態としての「幸福」へ

われわれが先に、「事柄によっては、むしろ内容を狭く特定しすぎない方が事柄の表現においてより適切である場合がある」と述べたのは、まさにこのような事情による。[15] つまり、ギリシャにおける伝統的な「幸福観」では、富や名声、権力、家族や健康や美貌といった事柄の「所有」ということが幸福の要件とされてきたが、それらはすべての人に恵まれるものではな

く、当然のことながら運不運がつきまとっている。そこから逆に、そうした事柄に恵まれることはむしろ不幸の原因となるものであり、むしろそうした事柄の「無所有」こそ幸福であるという脱俗・反俗的な見方が生じることにもなる。クセノポンやアンティステネスにとってソクラテスはまさにそのような立場と映った。

だが、プラトンはこれをさらに進めて、「徳」のみが無条件に善いものである以上、「善人は決して害されない」(『弁明』41d1-3, cf. 30c9-d1)――つまり、財産を奪われたり、家族に危害が加えられたり、追放されたりしても、あるいは殺されても魂の善さとしての徳は毀損されない――という考えを梃子にして、「不正を犯しながら罰せられないことこそ不幸である」(『ゴルギアス』472e4-7)という形で、「幸福観」の変革へと反転する姿をソクラテスのうちに見たのである(「死」は、善人の徳を毀損するものではないと同時に、悪人にとってもむしろ魂の改善の契機となるという意味で[16]、「魂の不死」は単に宇宙論的な意味だけでなく、倫理的な意味をももつ理論的要請であった)。そして、『国家』においてプラトンは、「幸福」は幸運によって恵まれるものではなく、むしろわれわれ自身が行為を通して実現するものであるとする考えを提起することになる。プラトンが、「幸福(eudaimonia)」を「よい行い(eupragia)」(および動詞の eu prattein)[17]と呼ぶのはこのためである(その意味で、『国家』が「エウプラットーメン(eu prattomen/われわれはよくなそう＝幸せであろう)」(X. 621d2-3)という言葉で締め括られているのは象徴的である)。

アリストテレスは、もちろんこうしたソクラテス・プラトンによる伝統的な「幸福観」に対する変革に直面していたわけだが、それは富や名声、権力、健康や家族や美貌、そして幸運といった伝統的に認められてきた幸福の内容を完全に否定するものではなく、それらをいわば諸条件とする「徳」の発揮に基づくかぎりという重大な制約を課すものであった。[18] この点、マケドニア出身の在留外国人であるアリストテレスはむしろ保守的である。幸福の条件のうちに、財産や家族・友人などの「外的な善」や「幸運」をも位置づけながら、「幸福」の本質を「完全な徳に基づいた完全な活動」と規定した(ここで「よく行う」という「行為(praxis)」から「活動(energeia)」へと用語が変えられているのは、言うまでもなく後者には「実践」だけでなく「観想(theoria)」も含まれるからである)。そして、『ニコマコス倫理学』では、それに加えて「完全な生」という枠組みを設定した。[19] それは、死後の魂の永続というソクラテス・プラトンの学統に属しながら、それに抗して、有限な生の時間の制約内においても求められる生の全体性・一体性の可能性をさぐる探究であった。[20]

だが、「幸福」について、「その名前については、多くの人々によってほぼ意見は一致している。なぜなら、一般の多くの人々も良識ある者たちも、それを「幸福(eudaimonia)」と呼んでおり、「よく生きること(eu zen)」や「よく行うこと(eu prattein)」を「幸福であること(eudaimoneuein)」と同じと判断しているからである。だが、「幸福」について、それが「何であるか」ということについては意見の相違が見られ、一般の多くの人々は知者たちとは異なる説明を与えている」(『ニコマコス倫理学』I. 4. 1095a18–19)と、アリストテレスが総括したとき、実は、意見の相違は単に一般の人々と知者たちとのあいだにあっただけでなく、哲学者たちのあいだでも、幸福を「よく行うこと」だとする了解そのものが崩れかけていたのである。

その先鞭は、他の多くの分野・方面においても対照的な哲学的見解を表明したデモクリトスである。デモクリトスは、「幸福」を euesto(「よくあること(well-being)」)とも呼んでいたらしいが、ディオゲネス・ラエルティオス『ギリシア哲学者列伝』(第九巻四六節)の著作一覧には、「晴朗さ(euthymie)について」という書名が挙げられるとともに、「「よくあること」という書名は見出されない」という注記がなされている。[21] 実際、その後デモクリトスを起源として一般化したのは後者の(アッティカ方言で)euthymia の方である。[22] その意味でもデモクリトスは、前者の euesto という語によって、紀元前四世紀までのギリシャにおける客観的な幸福観を共有していたということができるが、同時にまた後者の euthymie という語によって、新たな主観的な幸福観の先鞭をつけたということもできよう。[23] 実際、こうしたデモクリトスの後者の特徴は次の断片によく窺われる。

実際、晴朗さ(euthymie)は、適度な楽しみと釣り合いのとれた生活によって人々に生じてくるものだからである。不足するものも過剰なものも相互に変転しやすく、魂のうちに大いなる動揺を作り出すことになりがちである。だが、魂のうちでも大いなる振り幅で動揺するものは、落ち着いたものでも、快活なものでもない。それゆえ、自分にできる範囲に考察を廻らし、現にあるものに満足して、羨まれたり人目を引いたりする人々に、少しも気をとめることなく、また考慮したりしてはならない。むしろ、悲惨な人々の生活を観察し、彼らの被っている極度の惨状を思い浮かべて、それに比べて自分にはいかにより大いなるもの、羨まれるものが備わっているかと思われて、もはやより多くのものを欲して魂を苦悩させるようなことはなくなるのである。

（デモクリトス断片 191, ストバイオス『抜粋集』III. p. 210）

こうしたデモクリトスの幸福観の影響は、懐疑論の始祖とされるピュロンにも見出され[24]、そうした客観的な幸福観から主観的な幸福観への移行の過程を示す格好の材料を提供しているように思われる。というのも、ピュロンは幸福であろうとする者に必要な三つの事項、あるいは三つの段階として、「第一に、事物の本来のありさまはどのようなものか、第二に、そうした事物に対してわれわれはどのような態度をとるべきか、最後に、そうした態度をとる者にどのような帰結が生ずるか」（エウセビオス『福音の備え』XIV. 18. 2-4）、という点を挙げているからである。そして、第一のものは世界の側での「無差別（アディアポラ）」という事態であり、第二のものはそれに対する「判断停止（エポケー）」という認識上の態度であり、第三のものはこの態度に付随する帰結としての「心の平安（アタラクシアー）」という心的状態である。言い換えれば、世界の客観的なあり方から、それに対するわれわれの判断――というよりその停止を経て、最終的に達成されるわれわれの側での心的態度、もしくは心術として、幸福は段階的に人のあり方から主観の側へとその位置を移すのである。

このピュロンの弟子のナウシパネスに学んだエピクロスが、ピュロンと同じく「心の平安（アタラクシアー）」を人生の目的にしたことは、偶然ではない。[25] だが、この最終目的は同じでも、それに至る回路はまったく正反対である。というのも、ピュロンは実在におけるさまざまな事象はすべて「無差別」であるということに基づいて、「判断の停止」を行ったのに対して、エピクロスは事柄の確固とした認識によって不合理な恐れを取り除くことで、「幸福」すなわち「心の平安」が得られると考えるからである。このことを、若き日よりエピクロス主義に親しんだウェルギリウスは、「ものごとの原因を弁え得て、あらゆることへの恐れや過酷な運命、そして執拗な冥府の渡し守・アケロンの喧騒を踏みつぶす者こそ幸いなれ」（ウェルギリウス『農耕詩』II. 490–492）と簡明に歌っている。つまり、エピクロスの場合は懐疑論と違って、世界に対する明確な認識がわれわれの不安や恐れを解消してくれるのであり、そうしたさまざまな恐れは結局のところ「死への恐れ」に収斂すると考えたのである。

このことは、ウェルギリウスが先の詩句を歌うにあたっても影響を受けたと思われるルクレティウスの『物の本性について』の中では、次のように歌われている。

この死への恐れこそ、あるいは人をして恥辱を忘れさせ、友情の絆を断ち、要するに人の誠をなげうたせるのである。実際、ちょうど子どもは目の見えない暗闇の中では何にでも震えて怯えるように、われわれも白昼少しも恐れる必要のないものを——しかも、子どもが恐れるあまり、今にも起こるかと身構えているものに比べても恐るるに足りないものを——恐れるのである。それゆえ、この心の慄《おのの》きと闇を払う必要があるが、それは太陽の光線や昼の光によってではなく、自然の姿と理《ことわ》りによるしかない。

(『物の本性について』III. 83–93)

ルクレティウスはキケロと同時代の学匠詩人で、失われたエピクロスの哲学の全体をラテン詩によって再現した者として重要であるが、とりわけその第三巻では、われわれが欲望に駆られたり、さまざまな財産を集めたり、あるいは名誉を目指したりといったことはすべて、ある意味で死への恐怖に根差していることを克明に述べている箇所である。つまり、個体としての自己が消滅するという恐怖から子孫を残そうとするのであり、財産をできるだけ多く残して後の安泰を得たいと考えるのも同じ理由による。だが、実際のところ、エピクロスの物体主義的な考えによれば、「死はわれわれにとっては無である」ということになる。そうした自分自身体験しえない「死への恐れ」は不合理なものであり、理性的な認識さえ得られれば解消すべきものである。そして、こうして「死への恐れ」が解消したならば、われわれの財産欲とか名誉欲とか、そういった余分なものもまた削ぎ落とされるというのである。そして、そうした考え方の最終的な到達点としてあるのが、先の「心の平安（アタラクシアー）」である。つまり、同じくデモクリトスの影響を受けながら、異なる回路を通って、ピュロンの懐疑主義とエピクロスの快楽主義は、ふたたび「心の平安」という合流点に到達するのである。

こうして、「幸福観」はヘレニズム期、つまりアリストテレス死後の哲学史上の画期において、劇的な変貌を遂げることになる。それは一挙に起こったのではなく、すでに述べたように、幾つかの段階を経て移行していったのであるが、われわれがはじめにプラトンの『ゴルギアス』の一節のキケロによる翻訳を検討したのは、ちょうどこうした移行が決定的になった段階のものである。実際、ヘレニズム時代においては、哲学の学派としては、周知のように「エピクロス派」と「ストア派」と「懐疑派」が、いわば三派鼎立の形を取ることになるが、今しがた見たように、懐疑派とエピクロス派はともにギリシャ語で ataraxia（これは「差し障り（tarache）がない」という否定的な表現）、ラテン語で tranquillitas という言葉で「幸福」を表現していた[26]し、また、ストア派も apatheia もしくは euroia biou（「生の滞りなき流れ」）という言葉で[27]、同じく「幸福」を表現したのである。だが、いずれにしても「善き行為」や「活動」としての「幸福」というソクラテス、プラトン、そしてアリストテレスと受け継がれてきた「幸福観」との断絶は、明らかである。

これに関しては、プラトンの『国家』第六巻にこうした「幸福観」をまるで予見したような一節がある。

すべてこれらのことを考量した上で、彼は静謐(hesychia)を保って自分の仕事のみを行うことに専念し、それはちょうど嵐にあって、砂塵や強風が風に吹きつけられるのを壁で防ぎ立ち尽くす者のように、他の人々の不法に満ちたさまを目の当たりにしながら、何とかして自分自身は不正と不敬なる所業で身を汚すことなくこの世の生を生き通せて、この世を去るにあたっても、美しい希望と晴れ晴れとした心安らかな気持ちで去ることができれば嬉しいと考えている。

(『国家』VI. 496d5–e2)

これを、「農園(ケーポス)」で自給自足の生活をする様子と考えれば、それはエピクロス派のポリスの政治的活動から身を引いた生き方を示すものとなろうし、また、自己の「城塞(アクロポリス)」[28]に立て籠もって、さまざまな感情に心乱されないようにしている様子を表すものと考えれば、それはストアの賢者における「魂の主導的部分(hegemonikon)」のあり方を示すものとなろう。もちろん、プラトンが未来を予見していたというのは、われわれの後知恵に過ぎない。何よりも、「美しい希望」という言葉が、『パイドン』(67b7–c3)で言われているような、死後の魂の肉体からの解放を意味しているとすれば、肉体の死をもって個体としての魂の消滅と考えるエピクロス派やストア派の考えとは、そもそも相容れないものである。

だが、その点を差し引いても、「幸福」を「静謐」にせよ「無感情」にせよ、「行為」や「活動」ではなく魂のあり方の問題として捉える点では、その後の思想の布置に対するプラトンの鋭い方向感覚を、やはり認めないわけにはいかない。それは、「人間の生」とその「時間性」に関する思考の枠組みの変化と不可避的に結びついているように思われる。われわれは最後に、この点に関して少しでも考察の手掛かりが摑めればと考える。

Ⅳ　幸福と時間

『パイドン』を読んで気づくことは、その最初の方に「エルピス(elpis／希望)」という言葉が何度も出てくることである。『パイドン』と言えば、いわゆる「想起(アナムネーシス)説」との関係で、前世、つまり過去のことを思い出すということばかりが念頭に浮かぶかもしれないが、同時に死後の生の永続ということを、「希望(エルピス)」という言葉で来世への展望として予め示しているように思われる。つまり、先に述べた不正を犯しながら罰を受けないことは不幸であり、善き人はたとえどんな迫害を受けても不幸ではないというソクラテスの考え方は、キュニコス派や後のストア派にもその影響を見ることができるが、少なくともプラトンの描いたソクラテス像には、さらに「魂の不死」とそれに基づく生の永続性という考えが(それがピタゴラス主義の影響であるか否かは、議論のあるところではあるものの)不可分の裏づけとされているのである。こうして幸福（およびその反対の不幸）は、その一つの大きな要素として死後の世界における魂のあり方を不可避的に含むこととなったのである。

エピクロス派もまた、「快楽」を肯定する点では確かに「快楽主義」であるとは言えるが、過度の快楽を避ける点ではむしろ「禁欲主義」と呼ばれてもおかしくない側面をもっている。[29]しかしながら、こうした「生の永続性」ということに関して言えば、エピクロス派は死後の魂の存続そのものを否定していたこともあって、生の時間をいくら延ばしたからといって幸福がその分増すわけではないと考えていた。

何事においても限度を超えてはならず、食に関する事柄についても限度と尺度を保つべきであり、肉食禁止を恐れる者は、快楽ゆえに肉食に執着する以上、死を恐れていると見なされる。なぜなら、こうした者は、死と結びついた何らかの恐怖の切迫を、死すべき者たちにおける欠乏と直ちに無際限に結びつけているからである。こうした、またこれに類する原因で、生きること、すなわち富・財産・名誉といったものへの満たされることのない欲求が生じるのだが、これは、あらゆる善はそうした事柄に付随してより長い時間にわたって増大するものと見込むこと、そしてまた、死の際の恐怖を果てのないものと恐れることによって生じるのである。

（ポルピュリオス『肉食の禁止』I. 54. 2-3）

ここでは、自然に即した必要な身体的な裏づけをもたない過剰で余分な欲望は、最終的に死への恐れに起因するというエピクロス派の考えが提示されているが、これはできるだけ生の期間を延ばすことで、そうした欲望の対象である「善」が増進され、それによって死を先送りできるという誤った想定を批判するものである。こうした意味での「生の永続性」は、エピクロス派にとって「幸福」を決して保証するものではない。言い換えれば、「幸福」は、短い生であろうと長い生であろうと、その内実に変わりはないという考え方である。これは、彼らが「幸福」を「心の平安」に求めたことと精確に符合している。

例えば、このことに関して、ルクレティウスは次のように歌っている。

> また、生を延ばしても、死の時を少しでも縮めることはなく、またおそらく消滅の日々を短くすることもできない。それゆえ、仮に幾世紀にもわたって生き抜くことができたとしても、依然として永遠の死は君を待ちうけているだろう。そして、今日の光とともに生を終えた者も、数か月前や数年前に死んだ者より、これから存在しない時間がより短いということはない。
>
> (『物の本性について』III. 1087–94)

これは「幸福」に対する直接の言及ではないが、エピクロス派の時間観念を表したものとして興味深い。こうした時間観念は、彼らの主要な関心である「快楽」をめぐって、「無限の生の時間から感得されうる快楽は、われわれが有限だと見なしている、この生の時間から感得される快楽よりも大きくはない」（『善と悪の究極について』I.63）というキケロの証言のうちにも窺われる。

同様の考えは、エピクロス派と同じく物体論者として、生の有限性を前提としていたストア派のうちにも見出すことができる。

> 善は時間を重ねても増大することはなく、たとえ束の間でも思慮ある者ともなれば、幸福ということに関しては、長いあいだ徳を使用し、徳のうちに幸福な生を全うした者に比して、決して何かを取り残しているわけではない。（プルタルコス『モラリア』1061F-62F）

ここでは両者が何を「善」と考えるかの違いに応じて、エピクロス派が「快楽」をめぐって語ったことを、ストア派では「徳」に基づいた「幸福」について語っている。だが、いずれにしても時間の長さは「幸福」の決め手とはならないことを述べる点では変わりはない。しかもこれは、「無感情」、もしくは「生の滞りなき流れ」というストア派の幸福観に根差しているという点でも、先のエピクロス派の「心の平安」と対応しているのである。

永続性が善を増大させるというこの考えが、誰を念頭に置いたもの[30]か分からないが、少なくともプラトンにそうした考えを帰すことは、その当否は別にして、難しいことではないであろう。実際、アリストテレスは「善のイデア」の批判の一環として、「一日限りの白いものより長いあいだ白いからといって、いっそうそれは白いなどということはない」[31]と述べているからである。つまり、時間の永続性がそれを備えるものの性質や価値それ自体を高めるわけではないという批判である。では、こうした批判をしたアリストテレスが、エピクロス派やストア派と同じような考え方をもっていたのかというと、もちろんそうではない。ただし、これに関しては、エピクロスの言葉のうちに、アリストテレスを連想させる一節が存在する。

> 無限の時間も有限の時間も、快楽のそれぞれの限度を思考によって測るなら、等しい快楽をそのうちにもつ。肉体は快楽の限界を無限なものと見なして、それを充たすために無限の時間を必要としている。だが、思考は肉体の目的と限界とを考量し、永遠に対する恐怖を取り払うことによって、完全な生(panteles bios)をもたらすのであり、われわれはもはや無限の時間をさらに必要とはしない。とはいえ、思考は快楽を避けてきたわけではなく、この生からの退出を余儀なくする事態が生じた際にも、最善の生に含まれる何かをとり残して去るわけではない。
>
> (ディオゲネス・ラエルティオス『ギリシア哲学者列伝』第一〇巻一四五節[32])

ここで言われる「完全な生」や「最善の生」という言葉は、『ニコマコス倫理学』の次の一節やその他の箇所(I.9. 1100a4–5)を想起させるが、そこでアリストテレスが述べている内容は、先のルクレティウスの引用ともあわせて、刹那的な幸福も幸福という点では永続的な幸福と変わらないとする、以上のエピクロスの考えとはやはり相容れないものである。

人間としての善さは徳に基づいた魂の活動である。また、もしこの徳が複数あるなら、そのうちでももっとも善い、もっとも完成した徳に基づいた活動であるということになる。これはさらに、「全き人生(teleios bios)において」とつけ加えよう。実際、一羽の燕が春を招くのではなく、一日の暖かさが春をもたらすのではないように、ただ一日、束の間の時によって、人に至福や幸福は恵まれないからである。

(『ニコマコス倫理学』I.7. 1098a16–20)

ここでは、先のエピクロスの一節が、正しい意味での快楽を得たならば、それがたとえ束の間のことであろうと「完全な生」であるということを意味するものであったのとは異なり、幸福が人間のもつ知性と性格の両面における徳の発揮に基づくものであるかぎり、それを実現するための活動には一定の長さの時間とその間の成熟を必要としていることが示されているからである。

この両者の違いについて、紀元前一世紀の学説誌家アレイオス・ディデュモスは、幸福に関して「エピクロス派の哲学者たちが、これを活動のうちにあるとする主張を受け入れないのは、彼らが最高善を受動的なもの――つまり、快楽――と見なして、行為的なものとは見なしていないからである[33]」と、学説の対比に注目する彼の立場から当然の指摘を行っている。ここで幸福が「活動のうちにあるとする主張」というのは、もちろんアリストテレスの立場を念頭に置いたものである。

アリストテレスが子どもに幸福を認めないのは、こうした「全き人生」という考えに根差している。それは、(i)幸福が徳に基づいた活動として「理り(logos)」に関わりをもつという点と、(ii)そのために単にある程度の年月を経る必要があり、最終的にはその生涯を閉じるまでは完全な意味で「幸福」とは判定できないとする考えによる。そして、(i)の観点からは人間以外の動物に対して「幸福」を適用できないように、(i)に加えて(ii)の観点からも子どもに対して「幸福」を適用することはできないと考えているのである[34]。

おそらく子どもと言えば、「無邪気な仕合せ」とか「無垢」といったことを連想しがちな現代人には、耳障りかもしれないが、「徳に基づいた活動」というアリストテレスの幸福の定義からすれば、これは当然の帰結である。もっとも、アリストテレスは当時の通念に照らしてもやや言い過ぎと考えたのか、「だが、それでも子供が幸福だと呼ばれるとするなら、それはまだ実現していない希望(elpis)のために祝福されているにすぎない。すでに述べたように、幸福には完全な徳と完全な人生とが必要だからである」(『ニコマコス倫理学』I. 9. 1100a3-5)という言葉をつけ加えている。

注目されるのは、ここで「希望」という言葉が使われていることである。言うまでもなくこれはこの世における将来の希望であって、先に触れた『パイドン』や『国家』における「来世への希望」ではない。アリストテレスがそのことを意図していたかどうかは分からないが、ここにアリストテレスの一種の現世主義、つまり死後の世界に託すのではなく、この世で完結するものとしての完全な生ということが強調されているように思われる。それは、有限な時間のなかで達成されうる完全な生であり、アリストテレスもまたプラトン同様「できる限り神に似る[35]」ということを言うけれど、それは決して人間が永続的な生を望んでいいとか、実現しうるとかいうことを考えているのではない。それは「生の永続性(eternity)」というよりは、「生の統合性(integrity)」と呼ぶべきものを目指すものであると思われる。

結びにかえて

われわれは、一六世紀の後半にイエズス会によるキリシタン文書を介して、最初にアリストテレスの「幸福概念」もこの国に導入されたのではないかということから話を始めた。しかしながら、これまでの考察によって「幸福概念」そのものの数次にわたる変遷を垣間見てきた。そうした目から見ると、eudaimonia を beatitudo もしくは felicitas に単に置き換えたというだけで、あるいはまたそれを今度は「果報」や「栄華」に、さらには今日の「幸福」に置き換えただけで翻訳が完了したとは決して言えないことを、身に沁みて感じ取ることができる。これは決して「翻訳や解釈の不確定性」を改めてもち出そうとするものではない。むしろ、そうした語義の変遷を示す堆積を、ちょうどそれぞれの時代ごとに異なる薄い地層を丁寧にはがしていくような、考古学的な作業が翻訳にも求められることを、「幸福」をめぐる少しばかりの実例に基づいて示そうとしただけである。

その意味では、「キリシタン文書を介して、最初にアリストテレスの「幸福概念」もこの国に導入された」という言い方は、偽りだとは言わないまでも、まったく不精確である。beatitudo であれ felicitas であれ、これを何と訳すにせよ、もはやアリストテレスにおけるような「活動としての幸福」という意味ではありえない。『新約聖書』がヘレニズム期に成立したことを考えあわせるなら、ataraxia や apatheia といった「心的態度としての幸福」という同時代の語義との関連をやはり考慮しなければならない。しかも、事態をさらに複雑にしているのは、キリシタン文書がトマスの神学に基づく後期スコラ哲学に定位したイエズス会の活動の一環だったということである。そして、言うまでもなくトマスは、アリストテレス哲学に基づいて自らの神学を精錬したのである。

その際重要なのは、伝統的なギリシャ的な幸福観が、彼らの考える「徳」に基づくかぎり、それはあくまでも「強き者における幸福」であったのに対して、『新約聖書』「マタイによる福音書」(5. 3–12)や「ルカによる福音書」(6. 20–26)にあるように、キリスト教的幸福観は、「弱き者における幸福」をその中心に置くものだという違いである。しかも、そのことにともなって、今度は「徳」概念の方がキリスト教的な変容を受けることとなるのである。そのことは、アウグスティヌスの『神の国』の次の一節において、明瞭に示されている。

すなわち、もしそれらが真の徳である――真の徳は真の敬虔な心をもつ者においてのみ存する――なら、それをもつ人はいかなる悲惨も被らないことを保証するなどとは公言しない(真の徳はそうしたことを公言するほど嘘つきではない)。それは、こんなにも多くの重いこの世の悪によって悲惨な状態を強いられる人間の生は、来るべき世への希望によって救いとなるべく、幸福であるはずだと公言するのである。実際、もしまだ救われていないのなら、どうして幸福でありえようか。それゆえ、使徒パウロも、思慮や忍耐、節度や公平さを欠いた人々についてではなく、真の敬虔にしたがって生きる人々、つまり真の徳をもつ人々について述べているのである。「われわれが救われたのはこの希望においてである。しかし、目に見える希望は希望ではない。すでに見ているものをどうして希望するであろうか。しかし、もしわれわれがまだ見ないものを希望するなら、忍耐によってそれを待ち望むのである」(「ローマの信徒への手紙」8. 24–25)。

(『神の国』第一九巻四章、服部英次郎訳)

ここでは単に富や力や名誉を幸福と考えないだけでなく、ソクラテスやキュニコス派の「善人は害されない」という考えさえ退けて、弱い者こそ幸いだとされるのである。それにともなって「思慮や忍耐、節度や公平さ」ではなく、「希望」こそが「徳」とされているのである（これに「信仰」と「愛」を加えたものが、後にトマスにおける「対神徳」を形成する）。

実際、『ドチリイナ・キリシタン』の一節を取り上げれば、先の「マタイによる福音書」の一節（5.4）は、「泣く者は、喜ばせらるべきによって、ベアト（果報）」と訳されているように、[36]「泣く者」、つまり「虐げられた者」は幸福であるというのである。「喜ばせらるべき」における「べき」というのは、この場合、義務を示す「べき」ではなく、確定的な未来の「べき」であって――つまり、将来救われるであろうという、救済の希望を現在もつがゆえに――将来幸福になるだろうということではなく、今現在――先取り的に――幸福であるということを述べるものである。

ここでまた「希望」は、今度は弱者の備える「徳」として登場するが、これは「魂の不死」に基づくソクラテス・プラトン的な「希望」とは異なっている。というのも、後者は死による魂の身体からの解放への希望であるのに対して、前者は身体の復活を通した魂の救済への希望だからである。[37]しかもその際、前者における「来るべき世」は、まだ存在していないのに対して、後者における魂の帰属すべき場所は、ある意味で永遠的に存在しているという違いも見逃すことはできない。

われわれは、アウグスティヌスの場合だけではなく、新プラトン主義、とりわけプロティノスのキリスト教への影響を強調しがちだが、少なくともこうしたキリスト教における幸福のもつ特異な身体性と時間性に関して、プロティノスとの相違はやはり見過ごすことができない。それは、『エンネアデス』の次の一節に、その差違を探る手掛かりがあるように思われる。

> 幸福であることが善き生に基づくものである以上、それは本当に存在するものの生に依拠するものでなければならない。なぜならそうした生が最善のものだからである。したがって、そうした生は時間によってではなく永遠によって数えられるべきである。それは、より多くもより少なくもなく、何らかの長さももたない、延長なく非時間的にあるこの現在である。実際、あるものをあらぬものに、時間や時間的に永続的なものを永遠に結びつけるべきではなく、延長しないものを引き延ばしてはならない。むしろ、その全体を永遠の生として――もし、把握できるなら――把握すべきであり、〔……〕多くの時間からなるものではなく、あらゆる時間を超えたその全体を一挙に把握すべきである。
>
> （『エンネアデス』I. 5. 7. 20–30）

ここには、行為によって実現されるものとしての幸福とも、心的な態度としての幸福とも異なる新たな——しかしながら同時にプラトンに範を仰ぐ——幸福観が示されている。

そして、こうしたギリシャ的な幸福観の最終的な帰趨を見据えるとき、アリストテレスに範を仰ぐ新たなキリスト教的幸福観が、それとの対比で浮かび上がってくるように思われる。それは、将来の復活の時への希望を携えて、現在の苦難を幸福と受け止めることができる点で、今までわれわれが辿ってきた、行為によって実現されるものとしての幸福と、心的な態度としての幸福との新たな融合の可能性を示す道である。こうした観点こそ、一六世紀におけるキリシタン文書を介したアリストテレスの導入の意義を、真に位置づける方途となるように思われる。

註

1 本稿は、二〇一五年二月二八日に東洋大学国際哲学研究センター主催の講演会「哲学の方法と翻訳の意義」における発表に基づくものである。その準備段階で、岩田靖夫先生の訃報に接した。本稿が先生を追悼する意義を少しでももちえていれば幸いである。

2 『アリストテレス全集15 ニコマコス倫理学』神崎繁訳、岩波書店、二〇一四。

3 「すべて忠臣・孝子・貞婦とて名に高きは、必《かならず》不幸つみつみて節に死するなり。世にあらはれぬは必幸福の人々なり」(同第一五五項)という用例がある。また同書の「異文」には、「漢学はやめてわつかよむと事のすむ古学者といはれたは幸福しや」との用例がある。だが、それ以前に書かれた彼の主著『雨月物語』(一七七六)にも、「上皇の幸福いまだ盡ず」(巻一「白峯」)、「他《かれ》死せば一族の幸福此時に亡《ほろぶ》べし」(同)、「貧福をいはず、ひたすら善を積《つま》ん人は、その身に來らずとも、子孫はかならず幸福を得べし」(巻五「貧福論」)の用例が既にあるが、『日本国語大辞典』での用例とされていないのは、あるいはこれが「さいはひ」と読ませるものだったからであろうか。

4 その語彙項目には、happiness と happy が並んでおり、それぞれ「幸福」、「幸　幸福」の訳語が添えられている。ただし、これを「こうふく」、「さち」(あるいは「さいわい」)と読ませるつもりかどうかは必ずしも明らかではない。

5 上田秋成は、後漢の王充の『論衡』の第三篇「命禄」からこの語を採ったと考えられる。秋成は中年以降、火事で家を失い、妻を亡くし、家業を廃し、右眼を失明するなど不運に見舞われたが、『春雨物語』や『胆大小心録』などの作品には、善人が不幸に遭うというモチーフが色濃くなる。これは、先の「命禄」や、同じく『論衡』第一篇「遭遇」の冒頭の「遇不遇は時なり」にある「遇不遇」という語を彼がしばしば用いる背景である。

6 言い換えれば、仏説の「冥福」も儒説の「命禄」もしくは「天禄」も結局のところ、この世に関するかぎり善行を保証するものではないということになろう。なぜなら、仏説ではそれは前世の「因」によって既に決まっており、儒説ではそれは「天命」によって悉く決まっているからである。

7 定着とは言っても、少なくとも昭和七年(一九三二)刊行の大槻文彦著『大言海』の項目に、「幸せ」はあっても「幸福」はない。なお、そもそも明治一七年(一八八四)刊行の井上哲次郎・有賀長雄編『増補 哲学字彙』にはHappinessの項目そのものがなく、したがってそれに対応する訳語もない。

8 見出し語に続くのは、それぞれの「属格形」の語尾、Lus. はポルトガル語、Iap. は日本語のそれぞれの略である。

9 「果報」は前世における善因(もしくは悪因)が、現世において善果(もしくは悪果)として現われることであるが、同じ現世における因によって現われる果を「花報」と呼んで、「果報」と区別することがある。『羅葡日辞典』に、「花報」の記載はなく、今日とは違って、その発音もCafôと、「果報（Quafô）」とは異なるものの、果たして「栄華」の「華」に「花報」の「花」が連想されていたかどうかは審らかにしない。

10　同じ仏教的な因果思想に根差しながらも「果報」が「幸福」に対応するよい意味で、「因果」が「不幸」に対応する悪い意味で用いられるのは、興味深いことである。この点に関しては、佐竹昭広『民話の思想』（中公文庫、一九九〇）を参照。

11　哲学的文献では、プラトンの『国家』（VII. 540c1-2）には、「幸福者（エウダイモーン）」を「神霊（ダイモーン）」の語源に絡める論及があり、またプラトンの門弟クセノクラテスは、有徳者こそが幸福であることを示すために、「魂の善さ」と関連させてこの語源を用いている（アリストテレス『トポス論』II. 6. 112a36-38）。

12　これに関しては、プラトン『メノン』（73b）で、「男の徳」や「女の徳」などというものはなく、同じ徳であるかぎり女であろうと男であろうと関係ないというソクラテスの言葉を思い合わせるべきであろう。キケロは『トゥスクルム荘対談集』（I. 57）で、『メノン』の内容に言及しているので、この一節を知らなかったはずはない。ここに一種のローマ的なジェンダー・バイアスを見ることは、決して不当ではあるまい。

13　ここでのtranquillitasというラテン語は、ギリシャ語のgaleneの訳語として用いられていると思われる。アリストテレス『トポス論』（I. 18. 108b24-26）には、「同じものが海においては凪（galene）であり、空気においては無風（nenemia）である（どちらも静寂（hesychia）だから）」とある。

14　われわれはここで、中世期の日本語では、「楽し」が「裕福な」ことを意味し、それに対応して「悲し」もまた「貧しい」こと（「貧窮（びんぐう）」、「乏少（ぼくせう）」）を意味していたことを思い合わせることが許されるであろう。またそれ以前に、そもそも「幸い（さきはひ）」は、花が咲き誇って繁栄している様子であり、「幸(さち)」は、まさに「海幸山幸」の神話が示すように、海の漁であれ、山の狩りであれ、それに用いる「矢じり」を意味し、豊饒の象徴となるものである。つまり、前者がFlora系の豊饒だとすれば、後者はFauna系の豊饒であり、この両者がわれわれの「幸福」観の根幹をなしていると思われる。

15　この点に関しては、Julia Annas, *The Morality of Happiness*, Oxford U.P 1993, pp. 45–46; id. 'Virtue and Eudaimonism', in E. F. Paul, F. D. Miller, Jr. & J. Paul edd., *Virtue and Vice*, Cambridge U.P 1998, pp. 37–55, とりわけ pp. 53–54 を参照。

16　前者に関しては『弁明』30d, 35a–b を、後者に関しては『法律』XI. 854d–855a, 881a を参照。

17　これに関しては、『カルミデス』172a3, 173d4, 174b12–c1,『エウテュデモス』278e3–279a3,『プロタゴラス』344e–345a,『ゴルギアス』507c,『国家』I. 353e5, X. 621d2–3 を参照。

18　アリストテレス『弁論術』第一巻五章では、こうした通俗的な「幸福」概念を「幸福の部分」として、「生まれのよさ」、「善き多くの友人」、「富」、「善き多くの子ども」、「恵まれた老後」、「健康」、「美貌」、「強壮」、「大柄な体格」、「高い身体能力」、「評判のよさ」、「名誉」、「幸運」、そして最後に「徳」が挙げられている。

19　『ニコマコス倫理学』I. 10. 1101a15–17, および『エウデモス倫理学』II. 1. 1219a39 参照。後のアレイオス・ディデュモスによる「学説誌(Doxography)」では、「幸福とは、完全な生における完全な徳の優先的な使用、もしくは徳に基づく完全な生の活動」(ストバイオス『抜粋集』II. p. 130)と定式化されている。キケロがアリストテレスの著作に直接触れえたかどうか不明であるが、「完全な生の繁栄をともなった徳の使用(virtutis usum cum vitae perfectae prosperitate)」(『善と悪の究極について』II. 19)という表現は、おそらくこうした学説誌の記述に基づくものであろう。

20　これに関しては、J. Annas, *The Morality of Happiness*, op. cit., Ch. 1 'Making Sense of My Life as a Whole'

を参照。

21 『ソクラテス以前の哲学者断片集』68B4, B140 参照。

22 紀元前一世紀の学説誌家アレイオス・ディデュモスは、デモクリトスが「幸福(eudaimonia)」のことを、euthymia, euesto, harmonia, symmetria, ataraxia とさまざまに呼んでいたことを報告している(ストバイオス『抜粋集』II. p. 52)。

23 これについては、J. Annas, 'Virtue and Eudaimonism', op. cit., p. 53 を参照。

24 デモクリトスの弟子・メトロドーロスの、そのまた弟子・アナクサルコスに、ピュロンは学んだとされている(cf. セクストス・エンペイリコス『学者たちへの論駁』VII. 87–88)。

25 この師弟関係については、ディオゲネス・ラエルティオス『ギリシア哲学者列伝』第九巻六四節を参照。

26 Gisela Striker, 'Ataraxia: Happiness as Tranquillity', in id. *Essays on Hellenistic Epistemology and Ethics*, Cambridge U.P. 1996, pp. 183–195 を参照。

27 『初期ストア派断片集(*SVF*)』III. 16, 144.

28 マルクス・アウレリウス『自省録』第八章四八節の比喩。

29 この点に関しては、「メノイケウス宛の手紙」131-132 を参照。

30 「無終極性は決して時間性の克服ではなく、却ってむしろ時間性そのものの本質より来る欠陥の延長拡大に過ぎぬことは、すでにしばしばあらゆる観点より論じ尽された所である。無終極性の意味における不死や永遠的生は生の完成どころか却って未完成の連続〔、〕不完成の徹底化なのである」(『時と永遠』岩波書店、一九四三、九八―九九頁)という波多野精一の指摘は、プラトン本人ではなくとも、少なくとも通俗化したプラトン主義には当てはまるであろう。

31 『ニコマコス倫理学』I. 6. 1096b4-5, および『エウデモス倫理学』I. 8. 1218a12-14 参照。

32 この一節の理解に関しては、J. Annas, *The Morality of Happiness*, op. cit., pp. 345–347 を参照。

33 ストバイオス『抜粋集』II. p. 46.

34 プロティノスは、「「よく生きること」と「幸福であること」とは同じ事柄に依拠するものと想定するなら、われわれはこの両者を他の動物にも付与することになるのではないか。なぜなら、それらの動物にとって、妨げられずに生を送ることは自然に適ったことであるとすれば、それらが善き生のうちにあると述べても何の差支えもないからである。また現に、善く生きることを、善い受動状態のうちに見出すにせよ、自らに固有な働きの完成のうちに見るにせよ、そのいずれも他の動物に備わっているからである」(『エンネアデス』I. 4. 1)と述べているが、これは先のアレイオス・ディデュモスと同様、幸福に能動的なものと受動的なものの区別を設けながら、この(i)と(ii)の観点をもたないため、極めて広い意味での幸福を動物全体に帰すことになった。

35 この考えは、プラトンでは『テアイテトス』176a–177a の箇所のうち 176b1–2 が特に有名であるが、他にも『饗宴』207c–209e,『ティマイオス』90b–d,『法律』IV. 721b–c, アリストテレスでは『ニコマコス倫理学』X. 7. 1177b33 に見出される。

36 四つある版本のうち、一五九一年の「バチカン図書館蔵国字本」(勉誠社文庫55、一九七九、一五八頁)と一五九二年のローマ字本(『キリシタン教理書』教文館、一九九三、一六〇頁)は、「喜ばせらるべきによって」となっているが、同じ一六〇〇年のローマ字本(『キリシタン教理書』九一頁)と「カサナテンセ図書館蔵国字本」(勉誠社文庫56、一九七九、一一一頁)では、「宥《なだ》め喜ばせらるるによって」と改められている。

37 この両者の希望の違いについては、P. T. Geach, *The Virtues*, Cambridge U.P. 1977, pp. 61–62 を参照。

「探究する学」としての「哲学」の歴史

「哲学」という語は、西周が作り出した訳語だと言われているが、訳語として当初彼が発案したのは「希哲学」だった。英語のphilosophyなど近代ヨーロッパ語でもみな、ギリシャ語のφιλοσοφία(philosophia)をそのまま音写しただけで翻訳されてこなかったこの語を、「哲(さとさ)を希(もとめ)る学」つまり「知を愛すること」という原語の意味通りに翻訳したのである。ところがこうした苦心の訳語も、おそらく「キテツガク」と発音しづらいせいかもしれないが、結果的に「希」は脱落して、「哲学」だけが残った。そして、皮肉なことに、その後、日本が他のアジアの国々に先駆けて近代化したことで、漢字文化圏にこの語は定着することになった。私は「哲学史」の授業で、半分冗談・半分本気で、「哲学」の訳語成立のこうした事情に、自ら求め探究することなく、海外の新知識の受け売りの宿命が暗示されていたと言うことにしているが、学生たちの反応は今一つである。

だが、こうして後に「哲学」と訳されることになる営みとの実際の出会いは、それより三百年も前、一六世紀末のイエズス会による日本布教の一環としてであった。記録に残っているところでは、一五八三年に豊後の府内(現在の大分市)にあったコレジオで、来日したばかりのペドロ・ゴメスの指導のもとで哲学の講義が初めてなされたとのことである。ゴメスはスペイン生まれのイエズス会士で、ポルトガルのコインブラ大学で哲学や神学を教えた経験をもち、そこでのアリストテレスの註解作業にも携わっていた。当時一級の人物が東洋の宣教に加わった背景には、彼が「マラーノ（改宗ユダヤ人）」だったことが関係している。一六世紀半ば以降スペインではマラーノを公職から排除するいわゆる「血の純潔規約」が強化され、これが一五八〇年のスペインによる併合以来ポルトガルに適用されたことも重なって、東洋に布教に来たイエズス会士に同様の事例は少なくなかった。

ゴメスがそのとき教科書として用いたのは、後期スコラ哲学を代表する神学者のトレトゥスによるもので、これと同系統のものがデカルトの学んだラ・フレーシュ学院でも用いられていた。ゴメスは日本での布教に合わせて、より簡便な自前の教科書である『講義要綱（***Compendium***）』を一五九三年に執筆し、早くも二年後にはその和訳が完成する。これは第一部「天球論」、第二部「魂論」、第三部「倫理神学」の三部構成で、実際この和訳を使って遣欧少年使節の一員となった伊東マンショも学んだと伝えられる。

その第二部の表題には「アニマの上に付てアリストウテチリスと云《いう》天下無双のヒロウソホの論せし一決の条々」とあり、「魂（**Anima**）について、比類ない哲学者・アリストテレスが行った議論の要約」との意である。中世を通じて「哲学者」と言えばアリストテレスのことを指したが、後期スコラ哲学においてもトマスと並んで一つの権威だった。他にもアウグスティヌスやアンブロシウスなどの教父だけでなく、プラトンやキケロ、セネカの名前も出てくる。さらにはトマスへの修正意見としてドゥンス・スコトゥスの名前まで出てくる。要するに、キリスト教神学の基礎となる哲学の教育を通して、哲学史的知識がこの国に初めて伝えられたのである。これは通史としての「哲学史」以前の「学説誌（doxographia）」の古い伝統にむしろ連なるものである。いわゆる「哲学史」がヨーロッパにおいて本格的に展開されるのは、ヘーゲル哲学の出現をまたなければならなかった。

ゴメスの『講義要綱』の和訳にも協力した可能性のある不干斎《ふかんさい》ハビアンの『妙貞問答』には、こうした哲学史的知識の一端を窺うことのできる一節がある。

> 目にも見《みえ》ず、手にも触れざれども、物は用を以て其根本の体を知事《しること》、常の習いにてさぶらふ。喩へば、遥かの塩路をへだて、漕《こが》れ行く船を見《みる》に、其水主《かこ》、楫取《かじとり》は見へ侍らねども身一つから行く事叶ふまじき船の、思ふ湊の方《かた》に向い漕るるを以て、必ず、其船には櫓《ろ》、櫂《かい》を立、楫取《かじとる》船子の有事《あること》を知らぬ物はなし。但し、のりたる舟子の見へぬとて、あの船は独りこがるると云はば、愚痴の至りなるべし。
>
> （『キリシタン教理書』教文館、一九九三、三九一―三九二頁、ただし片仮名を平仮名に変更）

これと同様の内容は、先の『講義要綱』の和訳でも、遥の波上を順風に帆をあげて湊をさして馳行舟《はせゆく》をみる時、水主、梶取は外に見へざれども、舟中に治手なくんば有《ある》べからずと分別する也。天に備る三光(太陽、月、星)、其法を違へず順環するを見る時んば、此等を治め玉ふ本源ありと云事、明《あきらか》也。是即、デウスにて在ます也。

(『イエズス会日本コレジヨの講義要綱Ⅱ』教文館、一九九八、一七六頁)

と記されている。

実は、これらの典拠となると思われるのは、キケロの『神々の本性について』の「遠く離れたところから船の進んだ軌跡を眺めるとき、その動きが理性と技術の結果であると信じて疑わないであろう」(山下太郎訳『キケロー選集11』岩波書店、二〇〇〇、一四三頁)という短い一文である。これは、最近でも進化論に反対するアメリカのキリスト教原理主義者に見られる「設計による議論」で、自然の秩序や規則性の背後にその設計者(つまり神)の意図を想定する護教理論の原型である。いずれにしても、こうしたルネサンスの人文主義の成果として、異教の古典をも取り入れながら布教が行われた様子がわかる。それと同じ精神が、『平家物語』のキリシタン版の作者でもあるハビアンの、まさにその一節を彷彿とさせるような文章のうちにも息づいている。

ハビアンは神学や哲学を、しかもラテン語で学んだほとんど最初の日本人である。だが、学んだのは単なる知識としてではない。彼が『妙貞問答』で、キリスト教の立場から仏教・儒教・神道をそれぞれ批判したのは一六〇五年だが、その三年後に突然棄教する。幕府のキリシタン禁令は一六一三年のことだから、棄教そのものは内発的なものだったと思われる。そして、一六二〇年にはキリスト教を批判した『破提宇子』(「〈デウス(神)〉を論破する」との意)を著わすが、その背景には、キケロの「両方の側から(in utramque partem)」議論を見るという、ヘレニズム期の懐疑論以来の見方があるように思われる。彼はこれによって仏教・儒教・神道に加えて、最終的にキリスト教にもその批判の矛先を向けたのである。哲学史的知識との最初の出会いにおいて、彼がそれを議論や探究のために用いたということは、やはり銘記しておくべきことである。ちなみに、『破提宇子』の書かれた頃、デカルトは『精神指導の規則』の執筆中で『方法叙説』をそれまでの著作のようにラテン語ではなくフランス語で執筆・完成させるのは、その一七年後である。

「もし」とか「れば」は歴史では禁句だと言われるが、もし信長が本能寺で殺されず、キリシタン禁令もなければ、おそらくわれわれの哲学との出会いもずいぶんと違っていただろう。何よりデカルトをはじめとする近世哲学の成立直前である。ルネサンスにおける古代哲学の再評価の一環として、ストア派やエピクロス派、そして懐疑論といったヘレニズム期の哲学が、デカルトだけでなく、ホッブズやスピノザなど近世の哲学者に新鮮な刺激を与えつつあった。さらに、直前の中世哲学のうちにも、古代の知見は絶えず再生され、決して暗黒の時代でなかったということが、より身近な時代感覚で了解されたことだろう。

今回、熊野純彦・鈴木泉両氏と一緒に私も編集に加わった『西洋哲学史Ⅰ 「ある」の衝撃からはじまる』(全四巻、講談社選書メチエ、二〇一一—一二)の「序文」を書く役廻りとなって思ったことは、まさに以上のような「もし」であり「れば」であった。この新たな「哲学史」が、そうした仮想も踏まえて「哲学の探究」の道具となることを、編者の一人として願っている。

「日本哲学史」の可能性

「近代日本の学者」というテーマで、ここ約百年間の哲学思想分野を振り返って、注目すべき学者・研究者を十名挙げよという課題にどう応えるか——西洋古代哲学を専門とする立場から、普段、数百年・千年の単位でものを考えることには慣れていても、百年単位でものを考えることがあまりなく、また十人という制約もあって、答えるのは難しい。

それでも、今まで自分自身影響を受けてきた範囲で答えてよいとのことなので、その生年順に名を挙げると先ず、西田幾多郎（一八七〇—一九四五）である。『善の研究』を何時読んだか、祖父の書架におそらく旧制高校の時の教科書だったと思われる速水滉『論理学』と一緒に並んでいるのを、興味半分で読むというより、眺めたのが高校生のころである。その後、大学院の博士課程のとき、たまたまギリシャからの留学生のチューターに選ばれて、一緒に西田の後期作品を読んだのが、本格的に接する機縁となった。最近、その彼が『池澤夏樹の旅地図』（世界文化社、二〇〇七）に、日本文学研究者で、「友人の中で最も長い名」の持ち主として登場するのを偶然目にして驚いた。当時、テサロニキ大学で教父哲学を専攻し、西田を研究するために来日していたステリオス・パパレクサンドロプロス君である。彼と『哲学の根本問題（行為の世界)』(岩波書店、一九三三)や『哲学論文集 第二』(岩波書店、一九三七)に収められた論文を中心に読みながら、「行為的直観」という言葉によって、行為の身体性や歴史性を考察する例の同語反復的な文章を解説するのに苦労したことを覚えている。

だが、西田と言えばそうした思索の苦闘をそのまま映したような文章の印象が強いが、この後に書かれた短い随筆「古義堂を訪う記」(一九四〇)を読んで、その一転して平明達意な文章に驚いた。そこには、京都堀川の伊藤仁斎の「古義堂」を訪問した際の感想が綴られていて、「仁斎や徂徠の学が日本精神に関係がないように考えられるが、真淵や宣長の国学というものには、契冲などの先達があったとしても、漢学者の復古学というものが、何らかの意味で刺戟したという如きことがなかったであろうか」(「古義堂を訪う記」『続思索と体験・『続思索と体験』以後』岩波文庫、一九八〇、二三五頁)という興味深い、しかも的確な見通しが述べられていたからである。

次は、波多野精一(一八七七―一九五〇)である。「西田哲学」の大いなる影響の背後に隠れて目立たないが、『宗教哲学序論』(岩波書店、一九四〇)、『宗教哲学』(岩波書店、一九三五)、『時と永遠』(岩波書店、一九四三)三部作にまとめられたその思索は、和辻哲郎がその最終講義で自らの拡散的思考との対照として、その集中と高みを称賛したことで有名である。だが、ここで強調したいのは、宗教学や聖書学との関係で、近代の文献学の重要性を彼が強調したことである。その影響のもとに、三木清は現代哲学の研究の傍らで、自分自身ギリシャ哲学の普及に努め、同じ波多野門下の田中美知太郎の研究の援助を行ったということである。だが、彼の影響は意外な人物にも及んでいた。

日本思想史研究者の村岡典嗣《つねつぐ》（一八八四―一九四六）である。彼は先に触れた西田の直感をまるで裏づけるかのように、宣長に対する徂徠の影響を文献的に実証したのである。これは敗戦直前の一九四五年六月に書かれた「徂徠学と宣長学との関係」（『新編日本思想史研究――村岡典嗣論文選』前田勉編、平凡社・東洋文庫七二六、二〇〇四）という論文に詳しいが、それはまさに当時の反徂徠・親宣長の時代風潮からすれば「一方には日本主義、他方には中華主義の、いずれも純粋なる代表者」相互の相反する見解のうちに一致を探る大胆な試みであった。

だが、こうした考えは彼の処女作『本居宣長』（警醒社書店、一九一一。増訂版、岩波書店、一九二八。因みに初版は西田の『善の研究』と同じ年の出版である）のうちに既に示されていたのである。しかも、村岡が両者の対立のうちに連続を見ることができたのは、波多野精一の早稲田時代の門弟として薫陶を受けた西欧の近代文献学の素地によるものであり、先の『本居宣長』における、一見唐突にも、ベエク以来の近代文献学についての長大な註（増訂版、三四六―三六〇頁、註（二）「欧洲文献の由来とベエクの文献学」。因みに、和辻哲郎が『人間の学としての倫理学』（一九三四）の最終節「解釈学的方法」で、これとほぼ同様の文献学の歴史を、解釈学の前史として紹介していることとの関連については、後述）を加えていることから窺えるように、古代の文献批判という点で、徂徠と宣長は同じ精神をもつと考えたからである。その同じ文献学的精神が、復古神道の主柱・

平田篤胤の『本教外篇』のうちに、マテオ・リッチの『畸人十篇』『天主実義』などの漢訳キリスト教文献の引用や影響を発見させたのである(「平田篤胤の神学に於ける耶蘇教の影響」、前掲『論文選』所収)。しかも彼はそこで、この篤胤のキリスト教の摂取を、「哲学の名を負ひ、哲学史と呼ばれるに価するもの」(「日本哲学史」『日本思想史研究 第四』岩波書店、一九四九)とまで言い切ったのである。もし、村岡がこの言葉を直ちに実践に移していれば、平成に入ってようやく京大に作られた「日本哲学」分野に先立って、東北大学の「日本思想史」講座は、「日本哲学」の専門講座に転換されていたかもしれない。

因みに、私もささやかながら篤胤によるエラスムスの引用を発見した――といっても、もちろん篤胤自身与り知らない、マテオ・リッチの『畸人十篇』を介した間接的なものだが、ともかくエラスムスの『対話集』中の「難破」の一節を、先の『本教外篇』のうちに見出した(「魂の位置――十七世紀・東アジアにおけるアリストテレス『魂論』の受容と変容」、中国社会文化学会編『中国――社会と文化』第一九号、二〇〇四、所収)。

おそらくこうした篤胤像に対して、折口信夫(一八八七―一九五三)なら、理解を示したであろう。相良亨《さがらとおる》は復古神道・皇国史観の元祖という篤胤像とは異なる、妖魅・幽郷・仙境・物怪といった「人間世界の外に、日本人の考へてゐた、別のものがあるといふこと」への篤胤の関心を、折口が自らの民俗学の先駆と見ていたことを指摘している(『日本の名著24 平田篤胤』中央公論社、一九七二、解説)。これは、最近の富岡多恵子『釋迢空ノート』(岩波書店、二〇〇〇)や安藤礼二編『初稿・死者の書』(国書刊行会、二〇〇四)などによって明らかにされたように、「釋迢空」という筆名は本来法名であり、それは当時の新仏教運動家・藤無染《ふじむぜん》と関わりの深いこと、さらに、この藤無染は比較宗教学や景教の研究を通して仏教とキリスト教の融合を図ろうとしていたということである。言い換えれば、篤胤を偏狭なナショナリズムから解放する、同様の視点が折口のうちにもあったことになる。それは「基督の 真はだかにして血の肌《はだえ》 見つつわらへり。雪の中より」(昭和二五年)とか「人間を深く愛する神ありて もしもの言はばわれの如けむ」(遺稿)といった歌の背景を解き明かすもののように思われる。こうした文献学を超えた神話的・宗教的な考察への折口の独特の感性といったものは、E・R・ドッズ『ギリシァ人と非理性』(原著、一九五一。岩田靖夫・水野一訳、みすず書房、一九七二)やW・ブルケルト『ギリシャの神話と儀礼』(橋本隆夫訳、リブロポート、一九八五)といった仕事を理解するためにも、多くの示唆を与えるものである。

折口の著作はどれも読みやすいとは言えないが、岡野弘彦『折口信夫の晩年』(中公文庫、一九七七)に接して以来、折口の精神の基底といったものがおぼろげながらも理解できるようになった気がする。そして、この書は何よりも私にとって、型にとらわれない教育の書であり、倫理の書である。

九鬼周造(一八八八—一九四一)と折口信夫は一見何の関係・接点もないように思われるが、「韻律論」という点で奇妙な繋がりがある。折口は國學院における直接の師、三矢重松のほかに、言語学者・金沢庄三郎にも師事し朝鮮語を習得するなど、言語一般に関心を持ったが、それは『言語情調論』(『折口信夫全集』第一二巻、中央公論社、一九九六、所収。中公文庫、二〇〇四)としてまとめられる。これは九鬼の『文藝論』に収められた「押韻論」との関係で注目される。

『偶然性の問題』(岩波書店、一九三五)は、アリストテレス以来の必然性と可能性という二つの様相概念の間にあって、十分な顧慮を払われてこなかった「偶然性」の問題を、きわめて周到に論じたものである。そして、これは坂部恵の指摘するように音と音との触れあいや交叉と、九鬼のうちではつながっており、さらにそれは『いきの構造』とも無関係ではないという。これにさらに突飛な連想を働かせるなら、『悲劇の誕生』後の一時期、ニーチェは「音の原子」といった考えに腐心したことが知られているが、これもまた彼のデモクリトス愛好の一変奏だとすれば、ここにもまた偶然論との結びつきが考えられよう。

私自身に関して九鬼と言えば、何より『西洋近世哲学史稿(上・下)』(岩波書店、一九四三・四四)の充実した記述である。そのなかでもとりわけライプニッツに関する箇所は、この偶然論とも関係して、興味深い。大学院受験の参考書として、各所における原語での概要が、語学の勉強にもなって一石二鳥だと、浅はかな考えから取り組んだが、内容は高度で容易には歯が立たなかった。しかし、それでも分からないながらも取り組んだその余韻は、今も思わぬところで甦ってくる。

さて、高橋英夫『偉大なる暗闇』(講談社文芸文庫、一九九三)にも描かれているように、一高の名物ドイツ語教師・岩元禎の寵愛を受けるほど眉目秀麗で学力優秀な一歳上の九鬼に、和辻哲郎(一八八九―一九六〇)は彼の死後も生涯コンプレックスを持ち続けたということだが、その和辻自身秀才でなかったわけではもちろんない。だが、公家の家系の九鬼に、播州の田舎医者の息子が引け目を感じたとしても、それはむしろ当然だろう。けれども、同郷の後輩として、時代は違っても何となく感ずるのは、和辻における「焦り」に似た感情と振る舞いである。その処女作である『ニイチェ研究』(内田老鶴圃、一九一三)、そしてそれに続く『ゼエレン・キエルケゴオル』(一九一五)にしても、それは実存哲学に関する世界的に見ても先駆的な仕事であることは多くの人の認めるところだろうが、やはり手早くまとめるといった趣きがないわけではない。さらに、「原始仏教」「孔子」「原始キリスト教」「ポリス的人間の倫理学」と世界の源流思想を、すべて総ざらいするといった仕事ぶりも、「偶然性」や「いき」といった現象の細部にわたる繊細・稠密な記述と比べると、やはり野暮ったい感じがしないわけではない。

そうした、焦りをもっともよく示すのは、原始仏教における「縁起説」をめぐって、木村泰賢(一八八一―一九三〇)(『原始仏教思想論』丙午出版社、一九二二。後に『木村泰賢全集』第六巻、大法輪閣、一九六七に所収)との間で交わされた論争であろう(これについては、山折哲雄『近代日本人の宗教意識』岩波現代文庫、二〇〇七、Ⅱ-1「やせほそった「仏陀」」にその経緯が記されている)。ショーペンハウアーの意志説を援用する木村に対して、インド哲学専門家・宇井伯寿の援護を受け、和辻は自ら卒論で取り上げたテーマであるショーペンハウアーはすでに卒業とばかりに、そのショーペンハウアー自身が依拠したカントのカテゴリーに遡って、「縁起説」を基礎づけようとするのである。やや酷な言い方になるが、国内のライヴァルに対しては、それが依拠する学説のより源流に遡ることによってその機先を制し、海外の好敵手、例えば、ハイデガーに対しては、その「存在と時間」という対比を、「人間存在と空間」へとずらすことによって自らの独自性を主張するといった点を、念頭に置いている。

だが、これまた坂部恵の指摘に依拠することになるが、晩年の和辻が、『歌舞伎と操り浄瑠璃』(『和辻哲郎全集』第一六巻、岩波書店、一九六三)において、そうした圭角と確執をすてて、より自由闊達な境地に達していたというのは、興味深い。というのも、古浄瑠璃『阿弥陀の胸割』のうちに「民衆の構想力の深層における、新来のキリスト教と在来の日本文化との真の雑種文化の生成のすくなくとも可能性を見とどけていた」(坂部恵『和辻哲郎』岩波現代文庫、二〇〇〇、二二二頁)と言われているからである。これをさらに進めて、一六・一七世紀のイエズス会劇と歌舞伎の成立との関係についても、あるいは考察は進んだかもしれない。同じくヘルダーやシュライヤーマッハーなどの近代文献学に学びながら、先の村岡典嗣が平田篤胤のうちにキリスト教の影響を発見したのと違って、それまでの和辻はどちらかといえば、この国の独自性に閉塞しがちだった。それが、もし彼に一層の余裕が与えられていたなら、あるいは打ち破られたかもしれないのである。

その次に挙げる三宅剛一(一八九五―一九八二)は、和辻が倫理的考察の中で人間的現象に限定してしか取り上げなかった「空間と時間」の問題を、さしあたって前者を中心に、『学の形成と自然的世界』(弘文堂、一九四〇。みすず書房、一九七三)において、古代ギリシャからカントに至る長い射程にわたって描き切った。こうした仕事が可能だったのは、彼がこれら一連の仕事に従事していた期間所属していた東北大学理学部の「科学概論」担当という伝統ある「閑職」のお陰である。「伝統ある」というのは、この科目の初代の担当者は田辺元であり(一九一三―一九)、彼が西田幾多郎の助教授として京大に転任した後は、高橋里美で(一九一九―二四)、彼が同じ東北大の法文学部助教授に転任した後任として、高橋の六高時代の愛弟子の三宅に託されたポストだからである。結局、三宅は、一九四三年にやはり文学部の西洋哲学史講座への転出まで、じっくり勉強できたというわけである。最近の大学改革において、単年度の研究成果が求められるなか、ぜひとも参考にしてほしい反例である。

さて、先の『学の形成と自然的世界』は、一九七三年にほとんど内容に変更なく再刊されたが、唯一その新版末尾で削られている文言は以下のとおりである。「なほ、自然的世界に於て無限といふものが困難な問題を與へたが、歴史的世界に關しても、眞實の全體としての世界なるものが果してあり得るか、いかにしてあり得るか、といふことが問はれるとき、無限の問題に直面せざるを得ないであらう」(『學の形成と自然的世界』第一版、一九四〇、六八五頁)。ここに見られる「自然的世界から歴史的世界へ」という動きは、三宅もまた西田の強い影響下にあったことを示しているが、それは彼がフライブルクのフッサールのもとに留学した際出会ったオスカー・ベッカーの影響でもある。後にナチスへの傾斜のために、曲折を経ることになるが、ユークリッド幾何学の先駆的研究やヘルマン・ワイルの半直観主義の哲学的基礎づけなど、幾何学や物理学への深い造詣をもとに、彼は新たな歴史的存在論を構想していたからである。それは結局は未完のままに終わったし、三宅における歴史哲学や時間論などの戦後の仕事も、一種のトルソーで終わった。そして、彼が関心を持ったライプニッツからヘルダーに至る思想史の鉱脈は、近年さまざまな形で関心が示されつつあるとはいえ、まだ手つかずの状態である。

次は、田中美知太郎(一九〇二―八五)である。戦争末期の一九四四年十月刊行の『思想』第二六七号は、西田幾多郎の「生命」と田中美知太郎の「技術」という二つの論文だけが掲載されている。そしてそれは、西田の晦渋、田中の平明という文体の対照と相俟って、戦争の終焉と戦後の再出発を何か暗示するような構成であった。実際、戦況の深刻化による用紙不足で、これが『思想』の戦中の最後の刊行となり、再開はほぼ一年後の一九四五年九月、そしてその二か月後には西田の追悼号の発刊を見ることとなる。そして、高山、西谷、高坂らの京都学派の追放後、中世哲学の高田三郎、近世哲学の野田又夫とともに、田中は古代哲学の教授として、京大哲学科の学風を一新することとなる。もともと田中は、法政大学に職を持ってはいたものの、在野の学究という側面を強く持ち、京大教授となるのは四十半ばのことである。ちょうどそのころやはり『思想』一九四六年一・二月合併号に「最も必要なものだけの国家」というプラトンの『国家』をめぐる論文を掲載しているのが、やはり注目される(『思想』二〇〇七年八月号『思想』第一〇〇〇号記念」参照）。後に「日本文化会議」など、どちらかというと右派の論客としてその名が一般読者にも知られるようになるが、ちょうど大学紛争時には『展望』に「ツキジデスの場合」を連載するなど、古典学者の時代への反骨的姿勢を示して面目躍如たるものがあった。その意味で、彼の松平千秋との共著『ギリシャ語入門』（岩波全書、一九五一）は、井筒俊彦の『アラビア語入門』（慶應出版社、一九五〇）とともに、徂徠の『訳文筌蹄《せんてい》』、仁斎の子息・伊藤東涯の『用字格』『操觚字訣《そうこじけつ》』『助辞考』、宣長の子息・本居春庭《はるにわ》の『詞八衢《ことばのやちまた》』『詞《ことばの》通路《かよいじ》』などの、一級の思想家はまたその使用言語の専門家でもなければならないという伝統に連なるものと考えるべきだろう。

晩年の田中は、自ら創設にかかわった「日本西洋古典学会」の大会における研究発表に、その最前列中央、つまり発表者の目の前に陣取って、哲学・歴史・文学のジャンルを問わず、活発に質問を行った。私にとってもまた、学会発表デビューの折、田中の質問は（実は、よく聞き取れなかったのだが）それ自体栄誉であり、何よりの励ましであった。

さて、死後十年にして、ようやく客観的な評価が行われる環境が整った丸山眞男（一九一四―九六）であるが、考えてみれば、『日本政治思想史研究』（東京大学出版会、一九五二）は、いわゆる「助手論文」である「近世儒敎の發展における徂徠學の特質並にその國學との關聯」という第一論文と、助教授昇任後の第二論文「近世日本政治思想における「自然」と「作爲」――制度觀の對立としての」、および第三論文「國民主義の「前期的」形成」からなり、著者が二十六歳から二十九歳にかけて書かれたもの、つまり厳密に二十代後半の作品である(因みに、丸山眞男は南原繁により将来東大法学部の「東洋政治思想史」講座を担うことを期待されていたが、準備的にその講座の嘱託講師として依頼していた津田左右吉の後任として招かれたのが、先の村岡典嗣であり、丸山は南原にその聴講を命じられたという)。

したがって、後になって、近代の個人主義を徂徠に遡らせる丸山の性急な図式や、その図式化にあたって彼が依拠したマンハイムやボルケナウ、カール・シュミットやテニエスからの借用についてさまざまな論評がなされることになるが、それは彼の早熟を結果的に示すものではあっても、その無効を宣告するものではあり得ない。冒頭のヘーゲル「歴史哲学緒論」への関説にしても、一方で彼の師である南原繁のカント・フィヒテ的理性的主体主義に対して、他方当時有力でありながらすでに弾圧下に雌伏していたマルクス主義的唯物史観への、周到な目配りによるものと考えれば、さしあたって議論の疎漏に目をつぶって、やはり感嘆に値する。

だが、私のように七〇年代になって、初めてこの著作に接するようになった者にとって、一方には退官後本格的に日本政治史研究に復帰した成果である「歴史意識の「古層」」(『日本の思想6 歴史思想集』筑摩書房、一九七二。『忠誠と反逆』筑摩書房、一九九二に再録)の五十代後半の丸山の仕事と一緒に、先の二十代後半の作品を読むという奇妙な事態が生じるとともに、他方では、中国文学・儒学の専家・吉川幸次郎(一九〇四—八〇)の七十代になってからのこの方面での精力的な仕事、『仁斎・徂徠・宣長』(岩波書店、一九七五)、『本居宣長』(筑摩書房、一九七七)、さらには中村幸彦（一九一一―九八）の六十代の仕事『近世文藝思潮攷』（岩波書店、一九七五）における儒者の文学への関わりを、やはり先の二十代の丸山の仕事と突き合わせるという、一層奇妙な事態が出来したのである。

「奇妙」と言いつつ、実はこれは本当に幸福な出来事だったと、今にして思う。それは、われわれ門外漢にとっても、平石直昭（「戦中・戦後徂徠論批判――初期丸山・吉川両学説の検討を中心に」『社会科学研究』第三九巻一号、一九八七）や日野龍夫（『徂徠学派――儒学から文学へ』筑摩書房、一九七五。『日野龍夫著作集』第一巻、ぺりかん社、二〇〇五、所収）という信頼に足る手引きによって、少なくとも私には、単に「近世日本政治思想史」でも「近世日本倫理思想史」でもなく、まさに「近世日本哲学史」に向けた良質な論争と展望を垣間見ることができるような気がしたからである。さらに、丸山門下の宮村治雄による放送大学テクスト（『日本政治思想史――「自由」の観念を軸にして』放送大学教育振興会、二〇〇五）は、書名の「日本政治思想史」でも、あるいは「日本思想史」でも「日本倫理思想史」でもなく、「自由」をめぐる「日本哲学史」の可能性を予感させるもののように思える。

次に、より私にとって親しいところからは、細谷貞雄（一九二〇―九五）の名を挙げよう。今では、ハイデガーの『存在と時間』や『ニーチェ』、ハーバーマス『公共性の構造転換』の訳者としてのみその名が知られているかもしれないが、ちょうど私が学部生のころ、約十年にわたってヘーゲルの『初期神学手稿』と取り組んだ成果が、『若きヘーゲルの研究』（未來社、一九七一)としてまとめられた。その後、ヘーゲルの文献研究は急速に進展し、今では同じ時期を扱った久保陽一氏の詳細な研究などによって、本書はすでに過去のものとなっているのかもしれないが、私にとっては今でも忘れられない本である。少なくとも、カントのリゴリズムがヘーゲルの実定性へと移りゆく過程を、ユダヤ教からキリスト教への推移と重ね合わせながら、丹念にヘーゲルの思考の核を探り当てた内容もさることながら、その哲学的日本語の達成のゆえである。

細谷先生と言うと、もう一人専門のギリシャ哲学における恩師・斎藤忍随《にんずい》先生(一九一七―八六)を自ずと一緒に思い浮かべることになるのだが、それは哲学に対する極めて高い要求のゆえに、むしろそのあまりにも強い引力が、かえって斥力として働いているといったある奇妙な屈折のためである。さらに、このことに触れなくては、事柄の核心を伝ええないと思うので、あえて言うのだが、斎藤先生は若年で左目を失明され、細谷先生は小児麻痺で片足がご不自由だった。お二人が発し、また書かれる言葉の魅力は、何がしかそうした身体的欠損によるのであれば、目や足の一つぐらいなくなってもよいなどという、まったく馬鹿げた不遜な考えを抱いたほどである。

大学生として細谷先生に、大学院生として斎藤先生に教えを受けたのは、それぞれ二年間ずつにすぎないが、今でもその記憶は鮮明である。当時、お二人は五十代後半だったので、ある意味でその程度で済んだのかもしれないが、若いころの二人に接したわれわれの先輩は、その精神の暴風に翻弄されたという。社会哲学者の徳永恂《まこと》氏が細谷先生の熊本・五高時代の学生であったことは以前から知っていたが、もうお一人、西洋古典学者でラティニストの水野有庸《ありつね》氏も五高時代の学生だったと知ったのは、細谷先生の葬儀の席だった。というのも、水野氏はラテン語こそ真正な言語であると信じて、ある時期から学会でもすべての会話をラテン語で通されることで有名だったからである。先に九鬼周造をめぐってその名を挙げた一高の名物教師・岩元禎に細谷先生もドイツ語を教わって、ドイツ語には格別の思いをもっておられたということは、これも葬儀における、ドイツ文学者の小栗浩先生の弔辞で知ったが、ケーベル以来の文献学の魂が、岩元から細谷へ、そしてドイツ語がラテン語に変じて、水野へと乗り移っていったような気がして、何か慄然とするものを感じた。そしてまた、言葉を通した学問の力という点で、先の岡野弘彦『折口信夫の晩年』を巧みに織り込んだ松浦寿輝『折口信夫論』(太田出版、一九九五。増補版、ちくま学芸文庫、二〇〇八)のとりわけ「擬《もどき》と移《うつし》」の章を思い出した。

さて、最後は、これも私自身大学院時代に学んだ黒田亘(一九二八―八九)である。ヴィトゲンシュタインの周到で有益なアンソロジーの編者として今も読者をもっていると思われるが、その仕事には、『経験と言語』(東京大学出版会、一九七五)、『知識と行為』(東京大学出版会、一九八三)の二つの論文集と、放送大学の教科書に「志向性」と「因果性」をめぐる最晩年の論文を付して死後刊行された『行為と規範』(勁草書房、一九九二)がある。また、この他にロック、バークリ、ヒュームなど英国経験論における観念や言語をめぐる現在でも参照すべき論文がある

(これが現在、まとまった形で読めないのは、大変残念である)。

だが、ここで黒田を取り上げるのは、先にも言及した「志向性」と「因果性」をめぐる、最晩年の未だ書かれることなく終わった論文のためである。多くの人が、何らかの形でその構想を耳にしているはずだが、私が聞いた限りでは、ホッブズの哲学上の主著とも言うべき『物体論(*De Corpore*)』の解釈とそれは密接に関連している。ホッブズは、外界の物体も、人間の身体も、その身体の集合体である社会や政治的団体、そして国家も、英語でbody、ラテン語でcorpusの名で呼び、それらの相互関係を因果性においてとらえようとした。そして、われわれが「こころ」と呼ぶものは、このボディ、コルプスの一定の状態であり、態勢だとして、「志向性とは沈殿した因果性である」というテーゼを立て、ヴィトゲンシュタインの「規則に従うこと」をめぐる晩年の議論とも関連させながら、これを論じた。だがこれは、さまざまな、主として否定的な反応を呼び起こしたまま、その帰趨を見届けることなく、著者・黒田は志半ばで世を去ったのである。

今、この問題に対して、私自身何か解答をもっているわけではない。むしろ、近代のデカルト以来の心身二元論を乗り越えるさまざまな試みの一つであるこの問題を、われわれとしてはより広い枠組みの中でとらえ直す必要があるのではないかということである。それは、明治の近代化以来、「言」の学と「事」の学とが乖離し、それをつなぐべき「理」の学が痩せ細ってしまっている事態と、無縁ではないように思えるのである。この文章は、たまたま「近代日本の学者」というテーマだったが、ここまで私が重要と思う哲学者の名を挙げ、その理由を論じてきて、あらためて最澄・空海から鎌倉仏教までを前史とし、織豊期および徳川時代の「前期近代」から明治以降の「晩期近代」へのより広いパースペクティヴにおいて、仏教、儒教、欧米思想の移入と同化をめぐる諸問題の再検討を必要としているように思われる。少なくともホッブズ(一五八八―一六七九)と徂徠(一六六六―一七二八)を、あるいはマルブランシュ(一六三八―一七一五)もしくはライプニッツ(一六四六―一七一六)を仁斎(一六二七―一七〇五)や宣長(一七三〇―一八〇一)と比較するというのではなく、並行的に論じる視点をもつことである。その時はじめて「日本哲学史」という名を、われわれは使うことができるように思われる。

さて、以上のやや誇大な人物紹介の長歌に対して、反歌を一つ付しておきたい。それは私の処女作『プラトンと反遠近法』(新書館、一九九九)のエピグラフに使おうと思いながら、正確な引用ができず断念したものである。

印象派以後、數學的に正確な遠近法は、全くその根據と意義を失つたかに見えるが、それならば果して、これに替はるべき新しい遠近法を、ぼくたちは有つにいたつただらうか。考幻學的畫布の遠なる過去、近なる未來のパースペクティヴの深みに、自己と世界の連繫と葛藤を描かうとする時、かかる懷疑は殊に切實であり、一連においては、却つて中世の逆遠近法に學ぶところが多かつた。亡命とはその遠・近の中間に、さかさまに吊るされる、現代の思想である。

（塚本邦雄『綠色研究』白玉書房、一九六五）

きれいなものはどうしてきれいなの？——「天の邪鬼」の勧め

春、満開の桜を見て「きれいだなー」と思わず口にすることがある。あるいは、冬のよく晴れた朝、雪をいただいた真っ白な富士山を遠くに見て、やはり「きれいだなー」と誰しも思うのではないだろうか。

けれど、昔の歌に「世の中に絶えて桜のなかりせば春の心はのどけからまし」（在原業平《ありわらのなりひら》）と歌われているように、花の咲く前からいつ咲くかどうかソワソワし、咲いたら咲いたでいつ散るかハラハラするのは、桜があるからで、いっそ桜がなかったらもっと落ち着いた気分で春を迎えられるのに……というちょっと「天の邪鬼《あまのじゃく》」な気持ちも理解できる。実際、あまりにもきれいなものは、人の心をかき乱す原因ともなるからである。

「天の邪鬼」と言えば、桜や富士山のように昔から多くの人たちに愛でられてきたものは、そのためにかえってあたりまえに思えて、桜よりも梅の方がいいとか、富士山よりも噴煙を上げる荒々しい桜島や浅間山の方がいいという人もいる。また、梶井基次郎のように、桜の樹の下には死体が埋まっていて、花の妖しいまでの美しさはそのせいだと物騒なことを考えたり、葛飾北斎のようにありきたりの富士山に満足せず、細長い富士山や夕日に映える真っ赤な富士山を描いたりして、伝統的・定型的な桜や富士山のイメージに異議を唱えたのも、おそらく同じ理由からだろう。

同じことは、自分自身の体験にもあるのではないだろうか。友人が少年野球団に入っておそろいのユニフォームを着ているのを見て、うらやましいと思う一方で、野球なんかサッカーに比べるとダサいから自分は野球のユニフォームなんて欲しくないと、やせ我慢をしたことがないだろうか。

ものごとの価値は、そのもの自身だけでは決まらず、時代や文化、そしてさまざまな人間関係によって異なってくるというのは一面の真実だろう。そこから、すべての価値は人それぞれだと考えたくなるかもしれない。けれどもそう考えはじめた途端、今「きれいだ」と自分が考え主張する基盤を失うことになる。というのも、少なくとも今、自分自身「あれではなくこれがきれいだ」と考える基準を、たとえ言葉で表現できなくとも何らかの形でもっているから、そう主張できるのではないだろうか。そうでないと、自分の「好み」が変わったとか、よくなったとか言うこともできなくなる。

考えてみれば、普段きれいだと思っているものが、「どうしてきれいなのか」改めて聞かれて、答えられないのはむしろ自然なことである。ただそうした普段自分でも気づかない身近な好みの「違いと境界」に注意を向けることで、自分を取り巻く世界の見方も、少し変わってくるのではないだろうか。そのことで、流行や世間の評判に一方的に引きずられることなく、ものそのものと向き合えるようになるかもしれない。その意味でも、「天の邪鬼」や「やせ我慢」は大事である。そうしたもうひとつ別の見方を通して、きっと世界は今までとは違った姿を現わすことだろう。

なぜ生きてるんだろう?——ふたつの「なぜ」答えの前に

たぶん誰も、ふだんは「なぜ生きてるんだろう?」なんて疑問をもつことはないかもしれない。たとえば「なぜ動くんだろう?」という疑問なら、模型の機関車や目覚まし時計など動くのが当たり前のものがふと不思議になって、あちこちいじったり分解したりしてとうとう壊してしまった経験がみんなにもあるだろう。あるいは、テーブルがぬれているとき、そこにコップを置くとスーと横滑りすることがある。通常動かないはずのものが動いたりしても、やはり驚いてそう言うだろう。

今の子どもたちは、もうそんな遊びはしないかもしれないけれど、僕の子どものころは、ザリガニ釣りをするのにカエルを捕まえてきて、その足をもぎ取って糸にくくりつけ、池にたらして釣れるのを待ったりした。今思うと残酷だけど、片足をもがれたカエルはそれでも動いていた。そのとき「なぜ動くんだろう?」と思ったが、それはもちろん「なぜ生きてるんだろう?」という疑問につながっていた。

でも、子どもは残酷なだけじゃない。何度もおねだりしてやっと飼ってもらえた子犬のことが気になって、すやすや眠っている犬の鼻や口にそっと手を近づけて、息をしているのを確かめたりするやさしい面もある。

ふだん生きて動いているのが当たり前のものが、何かのせいで動かなくなったりしたとき、「なぜ動かないんだろう?」と思うのは当然だが、ふつうに生きて動いているときにも、振り返って「何のせい」と不思議に感じるときがある。

けれども、「なぜ何々してるんだろう?」という問いの「なぜ」は、こうした「何のせい」ということを尋ねる場合にだけ用いられるわけではない。

何か悪いことをして親や先生にひどく叱られたとき、あるいは勉強や音楽やスポーツなど自分が真剣にとり組んでいるものがうまく行かなかったとき、何か空しくなって「なぜ生きてるんだろう?」と自分に問いかけることがあるかもしれない。この場合、「なぜ」というのは「何のせい」ということではなく、むしろ「何のため」ということだろう。

「何のせい」と問う「なぜ」は、動いたり生きたりしている出来事を、自分以外のものについて、あるいは自分自身に対してであってもそれを他人に対するように、観察してその「原因」を調べるときの疑問である。これに対して、自分自身に「なぜ何々してるんだろう?」と問うときは、意図や意味といった「理由」を尋ねている。

でもこうして、いま生きている理由を自分自身に問いかけているあいだも、生きていることを一瞬でも休んだり、やめたりすることはできない。なのにそう問わずにいられないのは、「問う自分」と「問われる自分」の歩調がどこか合ってないからだ。

とすれば、それは疑問文というより、むしろ励ましを与えたり注意を促す一種の掛け声のようなものかもしれない。あえてその答えを探すなら、「Why not ?」(さあ、生きようよ)ということになるだろうか。

解説

三嶋輝夫

本書は、ご覧の通り、三部から成る。かならずしも各部の間に截然とした内容の区別があるわけではなく、いわば地続きなのであるが、比較的読みやすい内容のものから始めて、徐々により専門性の高い内容の論考に読み進めていくように構成されている。著者がエッセイの中で触れている山登り（丘登り？）に喩えれば、哲学に馴染みの薄い読者の方々にまずは「考える足」などの平易なエッセイで足慣らしをしていただき、少し慣れたところでちょっと急な論文の坂道に挑戦していただくプランとでも言えるであろうか。巻末に置かれた二篇については、疲れた足を休めながら、誰しも一度は考えたことのあるような問いを著者とともにもう一度考えてみていただければ幸いである。

以下、目次にしたがい、個々の論考について若干コメントすることとしたい。

人生のレシピ

第一部「人生のレシピ」のエッセイはＮＨＫテキスト『きょうの健康』誌に連載されたもの

である。これは、著者の学識とウイットが見事にミックスされた傑作と言って差し支えないであろうが、不覚にも、実は今回本書の編集に携わるまで全くその存在を知らなかった(ひょっとすると小生の同業者の中にも、初めて目にしたという者が少なくないかもしれない)。

「ソクラテスは太っていたか?」に始まって「哲学の役割」に終わるまでの一連のエッセイを通じて、著者は古代ギリシャと現代、ギリシャと日本や中国の間を自在に行き来しつつ、時には読者に、時には自らに問いかけることによって、いつの間にか、著者とともに考えるよう読者を誘い込む。一例を挙げれば、「ピタゴラスは豆嫌いのベジタリアン?」では、ピタゴラス派のタブーの例として豆を食べてはいけないとされていたことが挙げられる。そこから話は一挙に、亡くなった落語家の古今亭志ん朝師匠に飛び、鰻が好きだった師匠がその話芸上達の願掛けに鰻を断ったとのエピソードが紹介される。どう繋がるの? と訝《いぶか》る読者を尻目に、そこから話は再びピタゴラスに戻り、豆食禁止のタブーも実は好物の「断ち物」だったのではないかとの、意外な、しかし言われてみればなるほどと思わせる解釈が示されるのである。

随所に鏤《ちりば》められた著者の卓抜なユーモアやウイットを逐一挙げていたら切りがないが、一つだけ挙げれば、樽の中の賢者、キュニコス派のディオゲネスを取り上げた「昔「隠棲」今「引きこもり」」の中で「キュニコス」(犬のような)の語義を説明している箇所の「犬のように羞恥心がなかったからとか」に続く括弧内に付されたコメント、「ゴメンね「花ちゃん」——わが家の犬」には、読者の皆さんも思わず噴き出してしまうのではないだろうか。

古代を読み解く

第二部「古代を読み解く」は、一本の連載と三本の論文から成る。最初の「未来の発見者たち」は、九回にわたって『毎日新聞』に連載されたものであるが、基本的なスタイルは「人生のレシピ」と同じであり、読者は第一部に引き続き軽快な足取りで読み進めることができると思う。ここでも著者は哲学に閉じ(引き?)こもることなく、文学、歴史、さらには映画(オードリー・ヘプバーン『マイ・フェア・レディ』!)に至るまで、異なるジャンルを股にかけて闊達そのものである。なかでも注目されるのは、悲劇作家のエウリピデスが連載初回に取り上げられ、その『メデア』について詳しく紹介されていることであろう。そしてこの作品が第二部に収められた他の論考においても繰り返し論じられている事実は、著者が『メデア』に並々ならぬ関心を寄せていたことを物語る。

まず、その起源から説きおこしてヘレニズム期に至るまでの悲劇論もしくはパトス論を通観した「ドラーマとパトス」においては、「二つの『メデア』」の見出しのもと、エウリピデスとセネカそれぞれの『メデア』が比較されている。その比較のポイントはコロス(合唱隊)に与えられた役割の相違にあり、共にコリントスの女たちをコロスとしながら、エウリピデスがメデアへの連帯を表明させているのに対して、セネカにおけるメデアは厄介払いされる対象であり、その孤立だけが浮き彫りにされている点が強調される。それは観客の側からの「憐れみ」の感情を排除するものとして、伝統的悲劇観の転換を示唆するとされる。

これに続く「私の「欄外書き込み《マルギナリア》」から――ホッブズの『メデア』」においては、副題にもある通り、より立ち入った『メデア』論が展開されている。

この論文の主人公はあくまでもホッブズであり、まず彼が古典学者として出発したことが紹介されるが、特に強調されるのは「トゥキュディデス」の異名を取ったホッブズが十三歳の時にエウリピデスの『メデア』をラテン語訳したことと、その訳文は遺《のこ》っていないものの、その作品理解は後々までホッブズの思索に生き続けているという点である。著者はブラムホール僧正との間で交わされた「自由意志」をめぐる論争におけるホッブズの反論を手がかりに「ホッブズの『メデア』理解」を紹介し、両者の対立が実は今日まで続く『メデア』解釈における対立と重なることを指摘する。すなわち、その対立は理性と感情を拮抗し相対立する二つの力と見るか、感情にも認知的な働きを認めることによって両者を一元的に見るかの違いである。この対立を著者は「葛藤型」と「振動型」と名付け、前者が『国家』のプラトンに近いとすれば、後者を『プロタゴラス』のソクラテス、ストア派的な立場と見なしている。この二つの類型に対して著者が並々ならぬこだわりと自負を抱いていたであろうことは、主著『魂(アニマ)への態度――古代から現代まで』(岩波書店、二〇〇八)においてこれをめぐる議論が中心に据えられていることからも知られよう。

人間の魂をめぐる以上のようなシリアスな議論を含みつつ、著者は論文全体をユーモアのオブラートで包むことを忘れていない。読者には是非もう一度、最初と最後の段落をお読みいただきたく思う。合わせて、プレイボーイと思しき主家の若君を諫《いさ》める手紙の絶妙な訳も。

第二部の最後を飾る「言葉と表象」は少し難しく感じられるかもしれないので、あまり頑張らずにまずはざっと通読していただき、ちょっと元気が回復した時にもう一度立ち返って読んでいただければと思う。ここで著者が試みているのは、「表象」というといかめしいが、ファンタジーのもととなった古典ギリシャ語の phantasia を手がかりとして、代表的古典からの引用を交えながら、言葉とイメージの関わりを丁寧に解きほぐすことである。

思考のためのレシピ

第三部「思考のためのレシピ」の冒頭に置かれた「「思考」を翻訳することは可能か？――訳語としての「幸福」をめぐって」は一見とっつきにくいように見えるかもしれない。しかし誰もが関心を抱く「幸福」について、その日本語の由来と、内実についての理解をめぐる変遷を追った論考であり、決して難しくはないので安心していただきたい。読者は日頃使っている「幸福」という日本語が明治以降に新たに創り出された訳語であることを知って、意外に感じるかもしれない。幸福の内実については、ホメロスに始まる古代ギリシャ的幸福観からキリスト教的な幸福観に至るまでの変遷が丹念に辿られているが、そのうちのどれに自分の幸福観が近いか考えてみるのも面白いのではないだろうか。

これに続く論文、「「探究する学」としての「哲学」の歴史」もまた、我々にとって馴染みの深い言葉、他ならぬ「哲学」(!)の由来を論じたものである。西周のオリジナルヴァージョンは「希哲学」だったのが、いつの間にか「希」が取れて「哲学」に落ち着いたという話は耳にされたことのある読者もいるかもしれないが、著者の本領は明治よりもっと前、あの織田信長の時代に起きた西欧との衝撃的な出会いにまで遡るところにある。

著者は来日した宣教師たちが布教に用いた教科書がなんと、デカルトが学んだ教科書の簡約版であり、その記述を通してアリストテレスを筆頭とする西洋の哲学者の名前と思想が日本に紹介されたことを教えてくれる。まさに氏の独壇場である。

論文としては最後を飾る「「日本哲学史」の可能性」は、西田幾多郎、波多野精一など、氏が敬愛する我が国の代表的思想家をまず取り上げた後、細谷貞雄、斎藤忍随、黒田亘など、氏が直接学んだ研究者について個人的な思い出も交えて論じたもので、これを一種の哲学的自伝と見ることもできるかもしれない。

最後を飾る二篇のエッセイについては野暮な解説を加えるのは控え、読者の皆さんにそれぞれの仕方で味わっていただければと思う。そのことを通して、著者が言うように「自分を取り巻く世界の見方も、少し変わってくる」かもしれない。Why not?

小生が神崎繁氏と出会ったのは、東京大学大学院の斎藤忍随教授のゼミが初めてであった。氏も小生も学部は他大で、二人とも少し緊張していたのではないかと思う。その後、加藤信朗先生や井上忠先生の授業で一緒になったこともあったが、氏は哲学科、小生は倫理学科ということもあって、それほど親しく話す機会はなかったように思う。氏と親しくお付き合いさせていただくようになったのは、同じ時期(一九八八—八九年)にケンブリッジ大学で在外研究を行ってからである。小生の方が早く渡英して、早く帰国したのであるが、三期制のケンブリッジで二学期にわたって一緒に授業や研究会に出席した。なかでもマイルズ・バーニエット教授やジョフリー・ロイド教授の大学院の演習で二人で分担してレポートしたり、毎水曜日の夕にクライスツ・コレッジで開かれた教員の勉強会でワイン当番(調達係)を引き受けたりしたことが懐かしく思い出される。また有名なゲストを呼んで定期的に開催されていた古典学科主宰のBクラブの講演会の帰りに我が家に寄っていただき、二人で日本ではまだあまり知られていなかったシングルモルト・ウイスキーの飲み比べをしたのも楽しい思い出である。そんな中でいつも感じていたのは、授業でも講演でも、氏の方が口惜しいけれど小生よりも内容をずっとよく理解していたことである。

氏はロビンソン・コレッジの終身メンバーになられ、別れ際にはバーニエット教授から「これはほんの始まりに過ぎない」と言われたそうであるが、その後、大学設置基準大綱化の嵐の中で多忙を極め、その特典を生かす機会がなかったのは誠に残念でならない。

本書のもととなる原稿のコピーの山を岩波書店編集部から筆者と中畑正志京都大学教授の両名がお預かりしたのは、既に二年前の秋のことであった。その膨大さと他の仕事との兼ね合いで作業が延び延びになってしまい、申し訳なく感じている。幸いにして遅ればせながらここに本書が上梓されるに至ったのは、多くの古典語を含む厄介な校正作業を粘り強くやり抜いてくださった編集部の松本佳代子氏と、またこの間、本書の出版を強くサポートし続けてくださった押田連氏に負うところが大きい。基本構想は編集部で練ってくださり、我々はそれをもとに、若干の手直しを含めお手伝いさせていただいたに過ぎないが、斎藤忍随教授がプラトンの『クラテュロス』を評して言われた言葉を借りれば「面白くかつ有益な」この一書をコロナ禍に喘ぐ世に送り出すことができるのは、望外の喜びである。

初出一覧

人生のレシピ

『きょうの健康』二〇〇七年四月—〇八年三月連載

古代を読み解く

未来の発見者たち

『毎日新聞』二〇〇一年一—三月連載

ドラーマとパトス

『現代思想』一九九九年八月号

私の「欄外書き込み《マルギナリア》」から

『学士会会報』第八一九号、一九九八年

言葉と表象

『表象』第一号、二〇〇七年

思考のためのレシピ

「思考」を翻訳することは可能か?

村上勝三ほか編『越境する哲学』春風社、二〇一五年

「探究する学」としての「哲学」の歴史

『本』二〇一一年一一月号

「日本哲学史」の可能性

『大航海』第六四号、二〇〇七年

きれいなものはどうしてきれいなの?

なぜ生きてるんだろう?

野矢茂樹編『子どもの難問』中央公論新社、二〇一三年

編集協力

三嶋輝夫
中畑正志

神崎 繁

1952年，兵庫県姫路市に生まれる．76年，東北大学文学部哲学科卒業．81年，東京大学大学院人文科学研究科博士課程単位取得退学．86年，東北大学教育学部助教授．87年，東京都立大学人文学部助教授．88年7月より，イギリス，ケンブリッジ大学にて在外研究(～89年12月)．2001年，東京都立大学人文学部教授．その後，首都大学東京都市教養学部教授，専修大学文学部教授を務めた．2016年10月20日逝去．

著書に，『プラトンと反遠近法』(新書館，1999)，『ニーチェ——どうして同情してはいけないのか』(NHK出版，2002)，『フーコー——他のように考え，そして生きるために』(NHK出版，2006)，『魂(アニマ)への態度——古代から現代まで』(岩波書店，2008)，『内乱の政治哲学——忘却と制圧』(講談社，2017)ほか．

翻訳に，フーコー「快楽の用法と自己の技法」(『フーコー・コレクション5 性・真理』ちくま学芸文庫，2006)，マクダウェル『心と世界』(共訳，勁草書房，2012)，『ニコマコス倫理学』(『アリストテレス全集15』岩波書店，2014)ほか．

人生のレシピ——哲学の扉の向こう

2020年10月20日　第1刷発行

著　者　神崎《かんざき》　繁《しげる》

発行者　岡本　厚

発行所　株式会社　岩波書店
〒101-8002　東京都千代田区一ツ橋2-5-5
電話案内　03-5210-4000
https://www.iwanami.co.jp/

印刷・三陽社　カバー・半七印刷　製本・牧製本

ISBN 978-4-00-061429-0　　Printed in Japan